本書で使用する写真

Chapter 6、7 で取り上げる問題で使用されている写真です。Duolingo English Test ではほとんどの場合、カラー写真が使用されます。

Chapter 6 **Write About the Photo 攻略**

◆ サンプル問題（p. 080）

◆ 実力養成問題 A（p. 088）

◆ **実力養成問題 B** (p. 093)

1

2

3

◆ **実践問題** (p. 098)

1

2

3

Chapter 7

Speak About the Photo 攻略

◆ サンプル問題 (p. 102)

◆ 実力養成問題 A (p. 108)

1

2

◆ 実力養成問題 B (p. 113)

1

2

◆ 実践問題 (p. 118)

音声DL
BOOK

duolingo
english test

総合対策

西部有司
Nishibe Yuji

NHK出版

はじめに

Duolingo 提供の問題を収録した日本初の対策書

希望する方々にとって人生の一大イベントである海外留学の最初の大きなハードルとなるのが語学テストです。留学向け英語テストとしては IELTS、TOEFL® が長年定番ですが、高額な受験料や実施時間の長さなどで受験を断念する人も決して珍しくありません。

2019 年末に始まったコロナ渦により語学テストの受験会場の多くが閉鎖になる中、「オンラインで、いつでもどこからでもコンピューター受験ができるテスト」として Duolingo English Test（DET）が突然注目を集め始めました。採用校は急速に増加し、2023 年 11 月現在では IELTS、TOEFL に次ぐ約 4,500 校までに達しており、**その中にはコロンビア、イェール、コーネル大学、MIT、大学院ではハーバード MBA など世界のトップ校**も含まれます。

オンライン受験以外にも IELTS、TOEFL と比較し、**「手頃な受験料（3〜4分の1程度）」「短い実施時間（2分の1程度）」**という特徴が多くの留学希望者の心を捉え、これらのテストから DET に切り替える人や、最初から DET 受験を目指して学習する人が出始めています。

ただ、DET に関する教材はほとんどないという悩みの声も少なくありませんでした。この状況を打開するため、このたび **Duolingo の協力を得て、Duolingo 作成の問題を収録した日本初の書籍**を刊行することになりました。**スピーキング・ライティングの問題やサンプル解答例もたっぷり収録**していますので、DET で必要とされるレベルや、解答のコツを理解できる内容になっています。また、ほかの問題形式でも、たくさんの問題とまだ知られていない解答のさまざまなノウハウを掲載しています。

私自身，DET の本試験を 40 回受験し、全問題に関する傾向・対策を徹底的に調査した結果ですので、DET 対策書のスタンダードとして末永く、留学希望者の皆さまのお役に立てる本であると確信しています。

また、留学希望者のみならず、総合的な英語力アップを希望される皆さんにも手軽に受験が可能な DET をぜひお試しいただき、学習進捗の目安として活用していただきたいと思っています。

最後になりますが、本書の企画にご賛同いただき、長期間にわたり辛抱強くサポートをしていただいた水谷翔氏、Carrie Wang 氏をはじめとする Duolingo のスタッフの皆さまに深く感謝申し上げます。

西部 有司

Duolingo からのメッセージ

Dear Test Taker,

We are excited that you chose the Duolingo English Test (DET)! We developed the DET in 2016, to provide English learners around the world with a new option. This is consistent with Duolingo's mission to develop the best education in the world and make it universally available.

There are over 2 billion English learners worldwide, and many have a need to certify their English proficiency. However, most traditional tests require students to visit in-person test centers: this is both costly and not accessible to many test takers.

The DET to designed to prioritize the test-taker experience:

- **Accessibility** The DET can be taken online anytime, anywhere, eliminating the need for travel to a physical test center
- **Affordability** The DET is a fraction the price of comparable tests
- **Quick Results** The DET has a quick turnaround time for results, typically within 48 hours

Currently, thousands of universities and employers use the DET in their selection process. This includes world-renowned institutions such as 99 of the top-100 ranked universities (by *U.S. News and World Report*) and many of the Ivy League universities such as Yale, University of Pennsylvania, Columbia, Cornell, and many more!

We hope this book can support you in your journey to test your best. Additionally, feel free to check out our official website (englishtest. duolingo.com) for the latest information. I highly encourage you to review our official test readiness guide as well.

Carrie Wang
Head of Global Growth, Duolingo English Test

official test readiness guide ▸

＊「公式テスト準備ガイド」を読むには DET のアカウントを作成する必要があります。

受験者の皆さまへ

Duolingo English Test（DET）をお選びいただき、誠にありがとうございます！ 私たちは、世界中の英語学習者に新しい選択肢を提供するため、2016 年に DET を開発しました。これは、「誰もが利用できる、世界最高の教育を開発する」という Duolingo のミッションと一致しています。

世界には 20 億人以上の英語学習者がおり、その多くが英語力を証明する必要があります。しかし、従来のテストのほとんどは、受験者が直接テストセンターに出向く必要があり、コストがかかるだけでなく、多くの方にとって利用しにくいものでした。

DET は、受験者の利便性を最優先して設計されています。例えば、

- **アクセシビリティ**　DET はいつでもどこでもオンラインで受験できるため、物理的なテストセンターまで足を運ぶ必要がありません
- **手頃な価格**　他の同様のテストに比べ、DET の受験料は、数分の一です
- **迅速な結果**　DET の結果提供は通常 48 時間以内と迅速です

現在、何千もの大学や雇用主が選考プロセスで DET を利用しています。その中には（*U.S. News and World Report* による）大学ランキング上位 100 校のうち 99 校や、イェール大学、ペンシルバニア大学、コロンビア大学、コーネル大学などのアイビーリーグの大学の多くなど、世界的に有名な教育機関が含まれています。

本書が、あなたのベストを目指す旅のサポートになれば幸いです。また、最新情報は公式ウェブサイト（englishtest.duolingo.com）をご覧ください。「公式テスト準備ガイド」もぜひご覧ください。

Carrie Wang
Head of Global Growth, Duolingo English Test

＊本書に収載された問題の一部は、Duolingo が提供したものですが、各問題形式の解説や対策は著者の見解です。本書で推奨されている対策は Duolingo の見解ではなく、Duolingo によるチェックを受けているものではないことにご留意ください。

Contents

Duolingo 提供の問題でスコアアップ！

- ㊝のついた Chapter の問題は、Duolingo 提供の問題を掲載しています。
- ㊝のついた Chapter のスピーキング、ライティングに関する解答例は、Duolingo のスコアチェックを受け、中上級レベル以上のものを掲載しています。

Staff

編集	鈴木香織
英文執筆・校閲	ロゴポート
装丁	田村梓 (ten-bin)
本文デザイン・DTP	清水裕久 (Pesco Paint)
校正	上杉和歌子
カバーイラスト	コルシカ
本文イラスト	矢戸優人
音声収録	英語教育協議会 (ELEC)
ナレーション	Chris Koprowski、Jennifer Okano

本文中にある 🔊 音声 ▶ 012 などは、音声ダウンロード教材のトラックナンバー (頭出し番号) を表します。

本書の構成と使い方

本書は DET の概要を解説した Chapter 1 と、13 の出題形式について扱った Chapter 2〜14 によって構成されています。* 本書では Duolingo English Test を DET と呼びます。

① Duolingo English Test とは

Chapter 1 で DET の出題方式、採点項目やスコアなど、概要を解説します。

② 測定能力

DET では英語の能力を下記4つの能力に分けています。本書では、Chapter 冒頭で各出題形式で測る能力をオレンジ色で示しています。
LITERACY（読んで書く能力）
CONVERSATION（話して聞く能力）
COMPREHENSION（聞いて読む能力）
PRODUCTION（書いて話す能力）

③ 出題形式

それぞれの出題形式について、試験画面を模したものを交えながら、解答時間や出題頻度などを説明しています。DET の問題にはほかの英語テストには見られない、ユニークな形式のものも多いので、ここでその特徴をしっかりと把握しましょう。

④ 攻略のポイント

サンプル問題

本試験と同じ解答時間で問題を解いてみましょう。自由記述式の出題では、解答例に「上級」と「中級」の2例を掲載しています。使われている語数や語彙、構文の違いを比べてみましょう。解説は原則、「上級」レベルを中心に行います。

ポイント

解答する上で気をつけたい点、ふだん

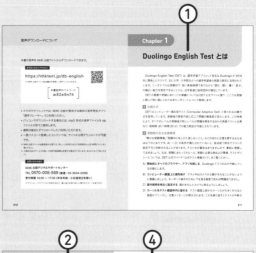

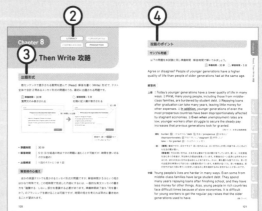

から対策として取り組むとよい点、該当
の出題形式に応じた注意点などを解説
します。

練習問題

ポイントの解説をより深く理解するた
めの問題です。

⑤ 実力養成問題

出題形式に慣れたところで、本試験と
同様の問題を解いてみましょう。解答
の一部が表示されていたり、ヒントが
あったりするので、これらのサポートと
ともに徐々に試験に慣れましょう。

⑥ 実践問題

仕上げとして、サポートなしで本試験と
同じ条件で問題を解いてみましょう。

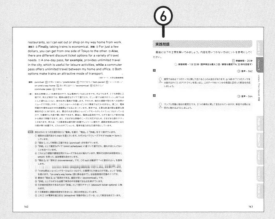

音声ダウンロードについて

本書の音声を NHK 出版サイトからダウンロードできます。

- スマホやタブレットでは、NHK 出版が提供する無料の音声再生アプリ「語学プレーヤー」でご利用ください。
- パソコンでダウンロードする場合には、mp3 形式の音声ファイルを zip ファイルの形でご提供します。
- 複数の端末にダウンロードしてご利用いただけます。
- 一度パスコード登録したコンテンツは、サイトから再ダウンロードが可能です。

＊ NHK 出版サイトの会員登録が必要です。詳しいご利用方法やご利用規約は上記 WEB サイトをご覧ください。

＊ ご提供方法やサービス内容、ご利用可能期間は変更する場合がございます。あらかじめご了承ください。

お問い合わせ窓口

NHK 出版デジタルサポートセンター

TEL 0570-008-559 (直通：03-3534-2356)

受付時間 10:00 〜 17:30 (年末年始・小社指定日を除く)

＊ ダウンロードやアプリのご利用方法など、購入後のお取り扱いに関するサポートを承ります。

Duolingo English Test とは

Duolingo English Test（DET）は、語学学習アプリとして有名な Duolingo が 2016 年に開発したテストで、主に大学・大学院などへの留学希望者の英語力測定に活用されています。リーズナブルな受験料で、短い実施時間でありながら「読む・聞く・書く・話す」の幅広い能力を測定できることから、近年急速に採用団体が増加しています。

DET の概要や受験にあたっての準備については DET 公式サイトに譲り、ここでは受験に際して特に頭に入れておきたいポイントについて解説します。

1 出題方式

DET はコンピューター適応型テスト（Computer Adaptive Test）と言われる出題方式を採用しています。受験者の解答内容に応じて問題の難易度が変化します。この特徴により、すべてのレベルの受験者が同じレベルの問題を解答するほかの英語テストとは異なり、短時間（約 1 時間 20 分）での能力測定が可能とされています。

2 受験時の主な注意事項

「静かな受験環境」「受験中に他人が入室しないこと」などのほかに注意を要する主な点は以下のとおりです。A）〜 C）の条件が満たされていないと、採点終了時点でテストが認定不可と判断されることがあります。テスト中の警告はありませんので、事前に理解しておきましょう。なお、受験にあたってのルール、受験に必要な物および環境、テストポリシーについては、DET 公式サイトや「公式テスト準備ガイド」をご覧ください。

A）**開始前にすべてのブラウザー、アプリを閉じる** Duolingo アプリのみが作動している状態にします。

B）**コンピューター画面上に顔を映す** テスト中はカメラから顔がそれることがないように意識しましょう。キーボード操作のために下を見る程度であれば問題ありません。

C）**室内照明を明るく設定する** 顔がきちんとカメラに映るようにしましょう。

D）**カーソルをテスト画面枠内に留める** テスト画面上部からカーソルが大きく外れると画面がフリーズし、注意メッセージが表示されます。これを繰り返すとテストが中断さ

れ、テストを最初から開始することになります。また、この状況を繰り返すとその回の
テストを消化したものと見なされます。

E) **キーボードの Caps Lock（大文字設定）を解除する**　1 問目にはキーボード入力を
する問題が出題される可能性があります。テスト開始前のローマ字による氏名登録の
際、Caps Lock を使って大文字で入力し、そのままテストを開始すると解除に時間
を取られることになるので事前に設定を解除しましょう。

3 出題フローチャート

以下は 13 種類ある DET の出題形式（合計約 33 問）の「出題の順番」「時間の経過」
の概要を 4 つのフェーズに分けて示したものです。かっこ内の数字はそのフェーズでの出
題数です。

DET は「無作為に出題される」「休憩時間なし」とされていますが、実際の出題は特定
のパターンに沿うことが多く、また、短時間ながら休憩として使えるタイミングもありま
す。受験者のレベルにより異なる出題パターンになる場合もありますが、概要として事前
に把握しておきましょう。

フェーズ 1

インプット（受信）型と、Write About the Photo、Read Aloud というアウトプッ
ト（発信）型の問題が混在して出題される。

1-3 問目 〜 5 分
Read and Complete (1)
Read and Select (1)
Listen and Type (1)
＊オレンジの時間はテスト開始から
　の時間経過の大体の目安
＊（ ）内の数字は出題数

→

4-6 問目 〜 8 分
Write About
the Photo (3)
＊3 問連続で出題

→

7-22 問目 〜 27 分
Read and Complete (3)
Read and Select (3)
Listen and Type (5)
Read Aloud (6)
＊開始時の 3 形式に Read Aloud が
　加わる
＊上記 4 形式がランダムに出題される

フェーズ 2

長文読解の Interactive Reading、リスニングとライティングがミックスされた
Interactive Listening が出題される。解答時間が長めの問題が続く。

23-24 問目 〜 44 分
Interactive Reading (2)
＊各パッセージの開始前、第 2 パッセー
　ジ終了後には 30 秒の間隔がある

→

25-26 問目 〜 57 分
Interactive Listening (2)
＊こちらは各問題の前後に間隔はない

Chapter 1 Duolingo English Test とは

Chapter 2

Chapter 3

Chapter 4

Chapter 5

Chapter 6

Chapter 7

フェーズ 3

ライティング、スピーキングのアウトプット型の問題のみが連続して出題される。

27 問目 ～1時間 2 分
Read, Then Write (1) →

28 問目 ～1時間 4 分
Listen, Then Speak (1) →
＊計 2 問出題されるうちの 1 問目

29 問目 ～1時間 6 分
Speak About the Photo (1)

→ **30 問目** ～1時間 8 分
Read, Then Speak (1) →

31 問目 ～1時間 10 分
Listen, Then Speak (1)
＊計 2 問出題されるうちの 2 問目

フェーズ 4

出願先団体提出用の Sample 形式のライティング、スピーキングが出題される。

32 問目 ～1時間 16 分
Writing Sample (1)
＊準備時間とは別に開始前に 30 秒の間隔がある

→ **33 問目** ～1時間 20 分
Speaking Sample (1)
＊準備時間とは別に開始前に 30 秒の間隔がある

Tips☞ 余った解答時間は休憩時間にするのが得策

DET は所要時間は短いものの、「問題の種類（出題形式）が多い」「出題形式が頻繁に切り替わる」などの理由により大変集中力を使います。特にフェーズ 1 の 7 ～ 22 問目の間は、約 19 分間にわたり 4 種類の問題がランダムに出題され、慌しく解答することになります。焦る気持ちから、解答時間が余った状態で次の問題に進む受験者もいますが、すぐに次に進むよりはその時間を集中力の回復のために休憩時間（着席し、画面上に顔を映した状態）として使うほうが得策です。テストが進むにしたがい、集中力は確実に弱まっているからです。また、上記のとおり Interactive Reading、Writing Sample、Speaking Sample では 30 秒の間隔が空くのでこの時間を休憩時間に使うことをお勧めします。

4 スピーキング・ライティングの採点項目

スピーキング・ライティング問題（Read Aloud を除く）は、DET の AI によって採点されます。以下は、主な採点項目です。

- **内容 (content)**

「質問に対して適切に答えているか」「適度なフォーマルさを持った解答か」「具体例などによって意見の根拠が示されているか」など。

- **一貫性 (discourse coherence)**

「意見や立場が理解しやすいか」「接続表現や代名詞を使い、解答が適切につながっているか」「解答の順序が論理的で説得力があるか」など。

- **語彙 (lexis)**

「さまざまな語彙を使えるか」「高度な語彙を使えるか」「自然で適切な語彙を選択できているか」「適切な品詞を使えているか」など。

- **文法 (grammar)**

「さまざまな文法を使いこなせているか (grammatical complexity)」「正しい文法が使えているか」「正しい句読法で書けているか (ライティングのみ)」など。

- **流暢さ (fluency)** ＊スピーキングのみ

「理解しやすい速さで話せているか」「適切なまとまりで自然にポーズを置いて話せるか」「フィラーや言い直しはどの程度あるか」など。

- **発音 (pronunciation)** ＊スピーキングのみ

「理解しやすく話せているか」「語や文の適切な位置でアクセントをつけているか」「正しいイントネーションで話せているか」など。

5 スコアについて

10 点〜160 点の間で評価され、5 点刻みで測定されます。スコアは「総合スコア」と、4 つの側面すなわち① Literacy (読んで書く能力)、② Comprehension (聞いて読む能力)、③ Conversation (話して聞く能力)、④ Production (書いて話す能力) を評価する「サブスコア」に分かれます。総合スコアとサブスコアは別々に測定されます。サブスコアの平均が総合スコアになるわけではありません。

■ 留学に必要な DET の総合スコア

DET の総合スコア	レベル
95 〜 105	短大
110 〜 115	学部
120 〜 130	大学院
135	トップ大学院

＊出願などに必要な具体的なスコアはご希望の各団体にご確認ください。

＊本 Chapter に記載した「出題フローチャート」と本書の各 Chapter の順序は異なります。

＊本書の各種スピーキング、ライティング問題 (Read Aloud を除く) のサンプル解答例の総合スコア目安は、中級が約 105 〜 125 点、上級が約 130 〜 145 点です。最終的なスコアはテスト全体の問題解答の結果により確定しますので、この数値は参考値としてご理解ください。なお、サンプル問題の中級解答例を除き、その他の問題の解答例は上級レベルのものです。

LITERACY CONVERSATION

COMPREHENSION PRODUCTION

Read and Complete 攻略

出題形式

画面に表示されたパッセージに空欄を含む単語があり、その空欄の文字を入力する形式の問題です。空欄のある単語は、初めの数文字が表示されています。

残り時間が表示される。以降の問題も含め、時間の意識は重要

テスト全体の進捗状況がバーで表示される

"Type the missing letters to complete the text below." (抜けている文字を入力して下の文を完成させてください)

2:54

Type the missing letters to complete the text below.

Jessica's Journey with Underprivileged Youth

Jessica views hardship as a challenge to overcome. As a c h [   ], she w[   ] bullied a[   ] suffered g r e[   ], b[   ] she u s[   ] those horrible experiences i[   ] a p o s i[   ] way. As an a d[   ], she w o[   ] w i[   ] underprivileged y o[   ] who s u f[   ] within t[   ] school s y s[   ]. She hopes that through her support, these students will be able to overcome the extraordinary difficulties of life and gain the tools they need to achieve happiness.

カーソルを空欄に合わせると、前の単語に戻ったり、後ろの単語にジャンプしたりすることもできる

文字をすべて入力すると目印が自動的に次の単語に進む

NEXT

- **1問あたりの解答時間** | 3分
- **出題頻度** | 1回のテストにつき4〜6問 (4問が多い)
- **パッセージの語数** | 40〜100語 (平均約70〜80語)
- **空欄のある単語の数** | 1問につき約8〜20語 (平均約15語)

- **空欄のある単語の位置** | 「1 単語（カンマを含む）おき」が多く、このパターンが 1 回の テストにつき約 70 ～ 80%

例 Istanbul `i` the `b` `i` `g` city `i` Turkey.

↑
空欄のない単語と空欄のある単語が交互に続く

＊空欄のある単語が集中するためにヒントが得づらく、パッセージは短いが難易度は高い。

- **空欄になる字数** | 以下の字数の単語の場合、例の下線部の字数が空欄になる

2 字の単語	→ 空欄 1 字	例	o<u>n</u>	
3 字の単語	→ 空欄 2 字	例	t<u>he</u>	
4 字の単語	→ 空欄 2 字	例	ea<u>ch</u>	
5 字の単語	→ 空欄 3 字	例	ni<u>ght</u>	
6 字の単語	→ 空欄 3 字	例	cal<u>led</u>	
7、8 字の単語	→ 空欄 4 字	例	emplo<u>yee</u>	
9、10 字の単語	→ 空欄 5 字	例	impor<u>tant</u>	
11 字の単語	→ 空欄 6 字	例	signi<u>ficant</u>	
12、13 字の単語	→ 空欄 7 字	例	conver<u>sation</u>	

＊2 字の単語は in、on、of など数が限られている。また、10 字を超える単語は、冒頭の 5 字ほどが見えているので見当がつけやすい。

- **空欄にならない単語** | ①人名・地名などの固有名詞（ただし、the ＋固有名詞の場合の the は空欄が設けられることがある。

例 `t` United States)

②文頭の単語（原則、空欄が設けられることはない）

- **パッセージのジャンル** | アカデミック、小説、技術マニュアル、エッセイ、ニュース記事など

＊留学生向けのテストなので、アカデミックな内容のパッセージしか出題されないと思われるかもしれないが、ほかの留学生向けテストに比べてパッセージのバラエティーは広いので、このような固定観念は捨てること。

- **米英つづり** | この出題形式のつづりはアメリカ式になる。この点が関わる単語の出題は多くはないものの、イギリス式で覚えている人は以下の点などに注意が必要

l（エル）の数		er/re		or/our	
アメリカ式	イギリス式	アメリカ式	イギリス式	アメリカ式	イギリス式
trave<u>l</u>ing	trave<u>ll</u>ing	theate<u>r</u>	theat<u>re</u>	col<u>or</u>	col<u>our</u>
trave<u>l</u>ed	trave<u>ll</u>ed	cente<u>r</u>	cent<u>re</u>	flav<u>or</u>	flav<u>our</u>
trave<u>l</u>er	trave<u>ll</u>er	fibe<u>r</u>	fib<u>re</u>	hum<u>or</u>	hum<u>our</u>

Chapter 1

Chapter 2

Read and Complete 攻略

Chapter 3

Chapter 4

Chapter 5

Chapter 6

Chapter 7

解答時の心構え

　日本人の平均的な英文読解スピードは約 100 語／分と言われており、解答時間が 3 分のこの問題は余裕を持って読み終えられると思われるかもしれません。ただし、問題を解答しながらとなると、難易度によっては上級者でも解答時間内に読み終えることが難しい問題もあります。慌てず、「センテンスの構造」を意識しながら読みましょう。また、減点式ではありません。**入力して間違っても、何も入力しなくても評価は同じなので、とにかく空欄を埋めるようにしましょう。**

攻略のポイント

サンプル問題

　以下の問題を本試験と同じ解答時間で解いてみましょう。空欄の文字を埋めて文章を完成させてください。

🕐 解答時間 ▸ 3 分

The Earth's Axis and the December Solstice

The Earth's axis is tilted about 23.4 degrees, and it is not perpendicular to the plane of Earth's orbit around the Sun. Accordingly, ① t⬜⬜ Sun only ② g e⬜⬜ directly ③ o v e r⬜⬜⬜⬜ at ④ c e r⬜⬜⬜ positions ⑤ b e t⬜⬜⬜ the ⑥ t⬜⬜ tropics (Cancer and Capricorn). At the December solstice, the ⑦ n o r t⬜⬜ pole ⑧ p o i⬜⬜⬜ the ⑨ f a r t⬜⬜⬜ away ⑩ f r⬜⬜ the Sun, ⑪ a⬜⬜ the Sun ⑫ r e a⬜⬜ its zenith ⑬ a⬜ the Tropic of Capricorn. The ⑭ t r o⬜⬜⬜ receives ⑮ t⬜⬜ Sun's ⑯ p e r p e n⬜⬜⬜⬜ rays ⑰ p r e c⬜⬜⬜⬜ at ⑱ n o⬜⬜ on December 21. From December to mid-January, the Antarctic Circle is in daylight throughout the day, while the Arctic Circle is in darkness for the same duration.

＊本書では解説用に①などの数字をつけていますが、本試験に数字はついていません。

＊初級、中級の問題は実力養成問題、実践問題で扱います。

上級　　　　　The Earth's Axis and the December Solstice

The Earth's axis is tilted about 23.4 degrees, and it is not perpendicular to the plane of Earth's orbit around the Sun. Accordingly, ① **the** Sun only ② **gets** directly ③ **overhead** at ④ **certain** positions ⑤ **between** the ⑥ **two** tropics (Cancer and Capricorn). At the December solstice, the ⑦ **northern** pole ⑧ **points** the ⑨ **farthest** away ⑩ **from** the Sun, ⑪ **and** the Sun ⑫ **reaches** its zenith ⑬ **at** the Tropic of Capricorn. The ⑭ **tropic** receives ⑮ **the** Sun's ⑯ **perpendicular** rays ⑰ **precisely** at ⑱ **noon** on December 21. From December to mid-January, the Antarctic Circle is in daylight throughout the day, while the Arctic Circle is in darkness for the same duration.

語句　solstice 图 (太陽の) 至 (し) (天球上において、太陽が 6 月と 12 月に赤道面から最も離れる瞬間) ／ tilt 動 ～を傾ける／ perpendicular 形 垂直の／ plane 图 平面／ orbit 图 軌道／ tropic 图 回帰線／ Cancer 图 かに座／ Capricorn 图 やぎ座／ zenith 图 頂点／ the Tropic of Capricorn 图 南回帰線／ ray 图 光線／ Antarctic 形 南極の／ Arctic 形 北極の／ duration 图 (持続・存続) 期間

訳　地軸と 12 月の至
地軸は約 23.4 度傾いており、太陽の周りを回る地球の公転面と垂直ではありません。そのため、太陽は 2 つの回帰線 (かに座とやぎ座) の間の特定の場所でしか真上にきません。12 月の至では、北極が太陽から最も遠くを向き、太陽は南回帰線において天頂に達します。この回帰線は、12 月 21 日のちょうど正午に太陽の光線を垂直に受けます。12 月から 1 月中旬まで、南極圏は一日中昼であり、北極圏は同じ期間、夜になります。

ポイント1　難易度を予測して出題に備える

この出題形式はテストの最初の 3 問の間に必ず 1 回出題されます。そして、難易度は「**最初の 3 問中の何問目に出題されるか**」によってレベルが異なります。

出題 1 回目の難易度予測

- 1 問目に出題 …………… 初級
- 2、3 問目に出題 ……… 初級 or 中級

出題 2 回目以降の難易度予測

出題 1 回目の正解率が高ければ、当然 2 回目の出題以降はレベルが上がります。順調

に正解した場合の難易度は以下のとおりです。

- 2、3 回目の出題 ……… 中級 or 上級
- 4 回目の出題 …………… 上級

ポイント2　パッセージのテーマをつかむ

　この出題形式は空欄があることから判読が難しい場合がありますが、原則として、**最初と最後のセンテンスには空欄がありません**。タイトルも活用しつつ、まずこの 2 つのセンテンスに目を通し、パッセージのテーマを把握しましょう。そうすることで、「このテーマのパッセージであれば、こういった単語が使われるかもしれない」と推測することができます。1 センテンス目から順番に読んで解答するのでは、最後のセンテンスをヒントとして生かすことができません。

地球

「至（し）」は難しいのでパッセージ中で意味を推測

例　タイトル **The Earth's Axis and the December Solstice**

1 センテンス目

The Earth's axis is tilted about 23.4 degrees, and it is not perpendicular to the plane of Earth's **orbit** around **the Sun**.

昼、日光　軌道　南極の　太陽

最終センテンス

From December to mid-January, the **Antarctic** Circle is in **daylight** throughout the day, while the **Arctic** Circle is in darkness for the same duration.

北極の

　これらを読めば、天文学や地学などについての話だろうと推測することができ、その分野に関する語彙が出ると意識して問題に臨むことができます。どんな内容のパッセージでも、このステップを踏んで、内容を予測しながら読みましょう。

ポイント3　答えの単語の 90%は基本語

　この問題の答えとなる単語のほとんどは、受験者なら誰でも知っている基本語です。この出題形式で重要なのは「文脈・前後関係」を把握することで、主に基本的な語彙力と文法力が試されます（難易度の高い語彙は、Chapter 3 で扱う Read and Select で出題されます。なお、サンプル問題の上級レベルの単語は⑭ tropic、⑯ perpendicular の 2 語のみで、全 18 個の空欄単語中、10%程度です）。

英単語は、以下の2タイプに分類されます。

内容語　一般動詞、名詞、形容詞、副詞、指示代名詞、所有代名詞など。単語1つ1つの持つ**イメージが強い**。

機能語　be動詞、冠詞、前置詞、人称代名詞、関係詞、助動詞、接続詞など。単語1つ1つの持つ**イメージが弱い**。

この出題形式では、「内容語」が問われます。しかし冠詞、前置詞などの「機能語」も空欄つきの単語になる場合があります（ただし、頻出の機能語はかなり限定されています）。機能語は単語自体の難易度は低いですが、「イメージが弱い」がために、思いつきにくいこともあります。

Tips☞　**頻出の単語を把握しよう**

　　機能語は内容語に比べ、単語の数が非常に限定されています。**機能語は大まかな傾向としてはテスト1回（4問が多い）につき、約30～40%出題されます。**また、内容語の、一般動詞・形容詞・副詞には頻出のものがあるので、それらも含めると高頻出語はさらに限定されます。事前にこれらの単語を把握しておけば、解答が容易になります。下記の頻出語を頭に入れておきましょう（★は特に高頻出語。本書の問題に登場しない単語も含まれます）。

前置詞	by★、in★、of★、on★、up、to★、for★、out、with★、from★、during、against、between、at
be動詞	be★、is★、was、are★、were、been
一般動詞	has★、have★
冠詞	the★（anの頻度は高くない）
代名詞	he、his、she、her、you★、they、their、it、its、this
関係詞	that★、which、who
助動詞	can、cannot、could、does、did、will
接続詞	so、and★、but、that、when、or
形容詞	no、many、this、that、such
副詞	so、not、up、out、how、also、there、when（関係副詞）

ポイント4　**センテンス全体を見渡し、〈主語＋動詞〉を探す**

　問題を解いているときには空欄つきの単語ばかりに注意がいきがちです。センテンスが短く簡単ですぐに答えがわかる場合はそれでいいのですが、上級レベルの問題では1センテンスが長くなり、文の構造が一目で捉えられない場合があります。そのような場合はまず、センテンスの主語と動詞（または述部）がどれかをきちんと把握するようにしましょう。

解答の際、最初に注目すべきは英文の基礎となる〈**主語＋動詞**〉です。命令文などを除き、英文には主語と動詞が必要となります。

> Step 1 主語を探す　　Step 2 動詞を探す

例 Accordingly, ① **the** Sun only ② **gets** directly ③ **overhead** at ④ **certain** positions ⑤ **between** the ⑥ **two** tropics (Cancer and Capricorn).

Tips☞ **修飾語句を見分ける**

修飾語句の位置や長さによっては、〈主語＋動詞〉を見つけるのが困難になる場合もあります。以下のようなパターンに注意しましょう。

■ **文頭に修飾語句がくる場合**（サンプル問題の3センテンス目）

　At the December solstice, the northern pole points the farthest
　　　修飾語句　　　　　　　　　主語　　　　　　動詞
　away from the Sun, 〜

■ **主語と動詞の間に修飾語句がくる場合**

　Most water on Earth, **including the water in the oceans**, contains
　　　主語　　　　　　　　　　　修飾語句　　　　　　　　　　動詞
　certain amounts of minerals.

訳 海の水も含め、地球上のほとんどの水には、一定量のミネラルが含まれます。

ポイント5 **大半の問題は基本的な文法力で対応できる**

この出題形式ではさまざまな文法事項の理解が試されますが、どれも基本的なものばかりです。ここではサンプル問題に含まれていた、要注意のものをご紹介します。

例 Accordingly, ① the Sun only ② gets directly ③ overhead at ④ certain positions ⑤ between the ⑥ two tropics (Cancer and Capricorn).

■ **さまざまな場所にくる「副詞」**

③の overhead は副詞として使われていますが、直前の副詞 directly と連続しており、directly は overhead（頭上に）を修飾しています。副詞が文中のさまざまな場所にくることがある点を意識しておきましょう。

■ **頻出の「the」**

「ポイント3 答えの単語の90%は基本語」で紹介したとおり①の冠詞 the は頻出語で、サンプル問題のパッセージで2回出題されています。

例 At the December solstice, the ⑦ northern pole ⑧ points the ⑨ farthest away ⑩ from the Sun, ⑪ and the Sun ⑫ reaches its zenith ⑬ at the Tropic of Capricorn.

■ 形容詞を伴う「語順」

the ⑦ northern pole
　　　　形容詞　　名詞

形容詞の後ろに名詞がくる基本的な語順。なお、形容詞を修飾する副詞は形容詞の前に置かれます。（ 例 a highly intelligent person）

■ 動詞の「三単現の s」

the ⑦ northern pole ⑧ points the farthest
　　　　単数名詞　　動詞（三単現の形）

■ the を伴う「最上級」

the ⑨ farthest

■ 後ろに名詞（句）を伴う「前置詞」

⑩ from the Sun
　前置詞　　名詞

■ 2 組の節をつなぐ「接続詞」

⑪ and がセンテンス前半の the northern pole 〜 と後半の the Sun reaches 〜をつないでいます。この点に気がつくとセンテンス全体の構成（S ＋ V and S ＋ V）の理解が容易になります。

■ 主語と目的語の間にくる「他動詞」

the Sun ⑫ reaches its zenith
　主語　　　他動詞　　目的語（名詞句）

他動詞のあとにくる目的語には、名詞、名詞句、名詞節などがあります。

Tips☞ 重要なのは「パッセージの内容理解」よりも「センテンス内の文法理解」
サンプル問題のトピックである天文学にあまりなじみがないと難しく感じられるかもしれませんが、solstice（太陽の至）の意味や発生プロセスなどを理解できなくても、上記のとおり**空欄つき単語の大半は基本的な語法・文法力で正解することができます**。この出題形式の測定能力は「読んで書く能力」「聞いて読む能力」とされていますが、本質は「**文法・語法に基づいたパズルの組み立て**」です。パッセージのスタンダードな内容理解が必要なのは Interactive Reading（Chapter 11）です。

Chapter 1

Chapter 2

Read and Complete 攻略

Chapter 3

Chapter 4

Chapter 5

Chapter 6

Chapter 7

ポイント6　長いセンテンスの理解には英文形式の理解を

　この出題形式の問題を難しくしているのは、空欄つき単語の配置間隔の短さと同時に、センテンスの長さです。これは単なる「語数の多さ」だけでなく、**単文、重文、複文**という形式が大きく左右します。この構造を理解していれば、空欄の多さに圧倒されることなく解答することができます。

■ 単文

1 組の〈主部＋述部〉を含む、いちばんシンプルな文。

The tropic receives the Sun's perpendicular rays precisely at noon
　　主部　　　　　　　　　　　　述部
on December 21.

■ 重文

2 組の〈主部＋述部〉を等位接続詞 (for、and、nor、but、or、yet、so) でつなぐ文。

At the December solstice, the northern pole points the farthest
　　　　　　　　　　　　　　主部　　　　　　　述部
away from the Sun, and the Sun reaches its zenith at the Tropic of
　　　　　　　等位接続詞　主部　　　　　述部
Capricorn.

and が空欄単語になっている場合、ここを解答できないと 2 組目の〈主部＋述部〉の構造が理解できなくなる可能性が高まります。

■ 複文

2 組の〈主部＋述部〉を従属接続詞 (because、although、if、when など) でつなぐ文 (従属接続詞の位置は以下の 2 パターン)。

2 組の〈主部＋述部〉の間

The rate of growth actually slowed year by year for decades,
　　主部　　　　　　　　　述部
although the population continued to grow to reach 7.9 billion
従属接続詞　　主部　　　　　述部
people in 2020.

> **訳**　2020 年に 79 億人に達するまで人口は増え続けましたが、この数十年間は実際、増加率は年々鈍化しました。

　同じ内容でも文頭に従属接続詞のある複文に以下のように空欄つき単語があると、1組目の〈主部＋述部〉の解答終了時点で複文であることを忘れてしまい、2組目の解答に窮する可能性があります。解答中は複文の形式を頭の片隅に置いておきましょう。

Although `t` rate `o` growth actually slowed `y e` by `y e` for `d e c` , `t` population `c o n t` to `g r` to `r e` 7.9 `b i l` people `i` 2020.

(Although the rate of growth actually slowed year by year for decades, the population continued to grow to reach 7.9 billion people in 2020.)

ポイント 7　難易度の高い単語はパッセージの別の場所に使われているケースがある

　例は少ないですが、難易度の高い単語が空欄つき単語になっていることもあります。しかしこの場合、解答の単語あるいはその派生語がタイトルやパッセージの別の場所に使われていることがあるので、難易度の高い単語が空欄つきになっている場合には、まず別の箇所をチェックしましょう。

例　サンプル問題では、⑯の解答、perpendicular が 1 センテンス目にありました。

1 センテンス目
The Earth's axis is tilted about 23.4 degrees, and it is not **perpendicular** to the plane of Earth's orbit around the Sun.

ここに書かれている！

難易度の高い単語

4 センテンス目
The ⑭ **tropic** receives ⑮ **the** Sun's ⑯ **perpendicular** rays ⑰ **precisely** at ⑱ **noon** on December 21.

　「ポイント 2 パッセージのテーマをつかむ」で説明したように、初めに 1 センテンス目を読んでいれば、「さっき読んだセンテンスに似た単語があった！」と気づく可能性が高まります。

ポイント 8　難問はとりあえず埋め、あとで戻る

　解答に窮する単語は、自信はなくても空欄を埋めておき、ほかの部分を解答したあとに戻りましょう。「**解答済みの単語が増える → センテンスの構造の理解が深まる → 残った単語を推測しやすくなる**」という好循環が期待できます。

Chapter 1

Chapter 2　Read and Complete 攻略

Chapter 3

Chapter 4

Chapter 5

Chapter 6

Chapter 7

実力養成問題

空欄の文字を埋めて文章を完成させてください。

解答時間 ▸ 各問 3 分

1　　　Jessica's Journey with Underprivileged Youth

Jessica views hardship as a challenge to overcome. As a
① c h [　　], she ② w [　] bullied ③ a [　] suffered
④ g r e [　], ⑤ b [　] she ⑥ u s [　] those horrible
experiences ⑦ i [　] a ⑧ p o s i [　　] way. As an
⑨ a d [　], she ⑩ w o [　　] ⑪ w i [　] underprivileged
⑫ y o [　] who ⑬ s u f [　　] within ⑭ t [　] school
⑮ s y s [　　]. She hopes that through her support, these
students will be able to overcome the extraordinary difficulties of
life and gain the tools they need to achieve happiness.

2　　　Web Authoring Software for Cross-Platform Design

Web designers and developers use web authoring software to
create applications and websites across multiple platforms. This
① i n c l [　　] both ② t a b [　　] and
③ b r o w [　　]. One ④ o [　] the ⑤ m a [　] reasons
⑥ f [　] using ⑦ t h [　] type ⑧ o [　] software ⑨ i [　] to
⑩ c r e [　] websites ⑪ t h [　] flow ⑫ e a s [　　] across
⑬ d i f f [　　] screens. The ⑭ s o f t [　　]
automates and ⑮ o r g a [　　] a ⑯ l a [　　] number
⑰ o [　] the ⑱ s t [　　] needed ⑲ t [　] create a
⑳ f u n c t [　　] and ㉑ a e s t h e [　　]
pleasing ㉒ w e b [　　]. Website prototypes featuring various
forms of media are made in accordance with established design
standards.

3 The Dealer Button and its Role in Poker

A dealer button or buck is given to a player in a home game. The ① but_____, a white ② pla_____ disk, ③ rot_____ clockwise ④ aro_____ the ⑤ ta_____ to ⑥ indi_____ the ⑦ dea_____, who ⑧ de_____ cards ⑨ a__ acts last. In a ⑩ cas_____, a house dealer is the ⑪ on__ one ⑫ w__ handles ⑬ t__ cards ⑭ f__ each ⑮ ha__, but a dealer button is still ⑯ us__ to ⑰ indi_____ who ⑱ t__ nominal dealer is.

Two forced bets—the small blind and big blind—are placed by two players sitting next to the nominal dealer.

4 The Role of Buffer Solution

An aqueous solution containing a mixture of a weak acid and a conjugate base is called a buffer solution. The pH of ① th__ aqueous ② solu_____ resists ③ t__ addition ④ o__ a ⑤ cer_____ amount ⑥ o__ strong ⑦ ac__ or ⑧ ba__. Human blood ⑨ cont_____ a ⑩ buf_____ made ⑪ o__ carbonic ⑫ ac__ and bicarbonate, which ⑬ main_____ its ⑭ relat_____ constant ⑮ le____ of pH. Being ⑯ out_____ of this pH ⑰ ra____ leads ⑱ t__ alkalosis or acidosis and could ⑲ res____ in the death of a ⑳ per____. Buffer solutions also have industrial applications, such as dyeing in the textile industry and fermentation in the brewing.

026

Chapter 1

Chapter 2　Read and Complete 攻略

Chapter 3

Chapter 4

Chapter 5

Chapter 6

Chapter 7

解答と解説

1 初級　　　Jessica's Journey with Underprivileged Youth

Jessica views hardship as a challenge to overcome. As a ① **child**, she ② **was** bullied ③ **and** suffered ④ **greatly**, ⑤ **but** she ⑥ **used** those horrible experiences ⑦ **in** a ⑧ **positive** way. As an ⑨ **adult**, she ⑩ **works** ⑪ **with** underprivileged ⑫ **youth** who ⑬ **suffer** within ⑭ **the** school ⑮ **system**. She hopes that through her support, these students will be able to overcome the extraordinary difficulties of life and gain the tools they need to achieve happiness.

語句　underprivileged 形 (経済的・社会的に) 恵まれない／ hardship 名 苦難、困難／ challenge 名 試練、やりがいのある課題／ overcome 動 ～を克服する、乗り越える／ bully 動 ～をいじめる／ extraordinary 形 途方もない、並外れた

訳　**ジェシカの恵まれない若者たちとの旅**
　　ジェシカは、困難を克服するべき試練と捉えています。幼いころ、いじめに遭い、とても苦しみましたが、その恐ろしい経験をポジティブな方向に生かしたのです。大人になってからは、彼女は学校制度の中で苦しんでいる恵まれない若者たちと一緒に働いています。彼女は、自らの支援を通じて、これらの学生が人生の途方もない困難を乗り越え、幸せになるために必要な手段を手に入れることができるようにと願っています。

解説　タイトルや第1センテンスと最終センテンスから、学術的な文章ではなく、エッセイや小説のようなパッセージであると推測できます。①は同じセンテンスの bullied がヒントになります。②は主語の she と bullied に挟まれていることから、was を入れて受け身の文であると考えると、文法的にも意味的にも筋が通ります。⑨は①の child が正解できていれば対照的な意味として推測できます。underprivileged (恵まれない) は難しい単語ですが、under- (下の) ＋ privileged (特権のある) と分解して意味を推測したいところです。この形容詞と主格の関係代名詞 who に挟まれていることから、⑫に入るのは名詞だとわかります。文字数が同じ young を集合名詞として使うには the が必要なので、ここでは不可です。⑬は2センテンス目にすでに書かれています。

Web Authoring Software for Cross-Platform Design

Web designers and developers use web authoring software to create applications and websites across multiple platforms. This ① **includes** both ② **tablets** and ③ **browsers**. One ④ **of** the ⑤ **main** reasons ⑥ **for** using ⑦ **this** type ⑧ **of** software ⑨ **is** to ⑩ **create** websites ⑪ **that** flow ⑫ **easily** across ⑬ **different** screens. The ⑭ **software** automates and ⑮ **organizes** a ⑯ **large** number ⑰ **of** the ⑱ **steps** needed ⑲ **to** create a ⑳ **functional** and ㉑ **aesthetically** pleasing ㉒ **website**. Website prototypes featuring various forms of media are made in accordance with established design standards.

語句 authoring 名 オーサリング (プログラミング言語を使わずにコンテンツを作ること)／application 名 アプリケーション／multiple 形 多様な／browser 名 ブラウザー／automate 動 ～を自動化する／organize 動 ～を構造化する、体系化する／functional 形 機能的な、便利な／aesthetically 副 美的に／pleasing 形 楽しい、気持ちのよい／prototype 名 (機械などの) 原型、プロトタイプ

訳 **クロスプラットフォーム設計のためのウェブ・オーサリング・ソフトウェア**
ウェブデザイナーと開発者は、ウェブ・オーサリング・ソフトウェアを使って、多数のプラットフォーム上にアプリケーションやウェブサイトを作成します。これには、タブレット端末とブラウザーの両方が含まれます。この種のソフトウェアを使用する主な理由の1つは、さまざまな画面で簡単に動作するウェブサイトを作成することです。そのソフトウェアは、機能的で美しいウェブサイトを作成するのに必要な多くのステップを自動化し、体系化します。さまざまな形式のメディアを特徴とするウェブサイトのプロトタイプは、確立したデザイン基準にしたがって作られています。

解説 1センテンス目の web designer、developer、software といった語句から、ウェブ関連のパッセージであることが容易に推測できます。①は後ろに both A and B の構造が見えていることから動詞が入り、②と③にはその目的語が入ると推測できます。センテンスの動詞がどこにあるかを見極めることが重要です。3センテンス目では⑨までは動詞を入れられる場所がありません。A is to do ～. (Aは～することだ) という構造の文。後ろに動詞 flow がありますが、直前の⑪が主格の関係代名詞 that で、flow はその動詞。なお、⑦は this と同じく4文字の that も入りますが、意味的に「あの」は不自然なので、直前の内容を意味する this が正解。⑭が単数名詞なので、and を挟んで後ろの⑮にも三単現の動詞が入ります。⑱直後の needed が紛らわしいですが、後ろから名詞を修飾する過去分詞で、steps を修飾しています。

Chapter 1

Chapter 2

Read and Complete 攻略

Chapter 3

Chapter 4

Chapter 5

Chapter 6

Chapter 7

3 上級　　　　　**The Dealer Button and its Role in Poker**

A dealer button or buck is given to a player in a home game. The
① **button**, a white ② **plastic** disk, ③ **rotates** clockwise ④ **around** the
⑤ **table** to ⑥ **indicate** the ⑦ **dealer**, who ⑧ **deals** cards ⑨ **and** acts
last. In a ⑩ **casino**, a house dealer is the ⑪ **only** one ⑫ **who** handles
⑬ **the** cards ⑭ **for** each ⑮ **hand**, but a dealer button is still ⑯ **used**
to ⑰ **indicate** who ⑱ **the** nominal dealer is. Two forced bets—the
small blind and big blind—are placed by two players sitting next
to the nominal dealer.

語句 dealer 图 （トランプゲームの）親、ディーラー／
buck 图 バック（ポーカーでディーラーであることを示す印）／ rotate 動 回転する／
clockwise 副 時計回りに／ hand 图 （トランプの１回の）ゲーム、試合／
nominal 形 名目上の／ bet 图 ベット（チップを賭ける行為）

訳 ディーラーボタンとポーカーにおけるその役割

ホームゲームでは、プレーヤーにディーラーボタンまたはバックが渡されます。このボタンは白いプ
ラスチックのディスクで、テーブルで時計回りに回され、カードを配って最後に行動するディーラー
を示します。カジノでは、ハウスディーラーだけが各ゲームのカードを扱いますが、名目上のディー
ラーが誰であるかを示すために、やはりディーラーボタンが使われます。スモールブラインドとビッ
グブラインドという２つの強制ベットは、名目上のディーラー役の隣に座っている２人のプレーヤー
によって行われます。

解説 タイトルでポーカーの話とわかるので、小道具をイメージしながら解答しましょう。②は①で述べ
られている「ボタン」の説明。前後の white、disk から材質である plastic が推測できます。③
は動詞がくる場所で、副詞の clockwise（時計回りに）とともに「時計回りに回転する」となり
ます。⑥は直前の to とつながる to 不定詞としての動詞。⑦、⑧は類似の単語が連続しています
が、次のセンテンスと、最終センテンスに dealer があるのに気がつきたいところです。⑩は１セ
ンテンス目の a home game と対照的な場所。⑯は直前の is still から受動態とわかります。⑰
については以下の Tips を参照してください。

Tips 同じ単語が繰り返されることもある

１つのパッセージ中で同じ単語が繰り返し空欄を含む単語として登場することがあります。
明らかに単語として当てはまるのであれば「ひっかけかも」と心配せずに入力しましょう。

The Role of Buffer Solution

An aqueous solution containing a mixture of a weak acid and a conjugate base is called a buffer solution. The pH of ① **this** aqueous ② **solution** resists ③ **the** addition ④ **of** a ⑤ **certain** amount ⑥ **of** strong ⑦ **acid** or ⑧ **base**. Human blood ⑨ **contains** a ⑩ **buffer** made ⑪ **of** carbonic ⑫ **acid** and bicarbonate, which ⑬ **maintains** its ⑭ **relatively** constant ⑮ **level** of pH. Being ⑯ **outside** of this pH ⑰ **range** leads ⑱ **to** alkalosis or acidosis and could ⑲ **result** in the death of a ⑳ **person**. Buffer solutions also have industrial applications, such as dyeing in the textile industry and fermentation in the brewing.

語句 buffer 〔名〕緩衝となるもの／ solution 〔名〕溶液／ aqueous 〔形〕水の、水のような／
mixture 〔名〕混合物／ acid 〔名〕酸／
conjugate base 〔名〕共役塩基（きょうやくえんき）（化合物の一種）／
pH 〔名〕ペーハー（水素イオン濃度指数）、pH ／ resist 〔動〕～に侵されない、耐える／
carbonic 〔形〕炭素の／ bicarbonate 〔名〕重炭酸塩、炭酸水素塩／ relatively 〔副〕比較的（に）／
alkalosis 〔名〕アルカローシス、アルカリ血症／ acidosis 〔名〕アシドーシス、酸性症／
dyeing 〔名〕染色／ textile 〔名〕織物／ fermentation 〔名〕発酵／ brewing 〔名〕醸造

訳 **緩衝液の役割**

弱酸と共役塩基の混合物を含む水溶液は緩衝液と呼ばれます。この水溶液の pH は、一定量の強酸または強塩基の添加に耐えられます。人間の血液には炭酸と重炭酸塩から成る緩衝液が含まれており、その pH を比較的一定に保っています。この pH の範囲を外れると、アルカローシスやアシドーシスになり、人を死に至らしめることもあります。緩衝液はまた、繊維産業における染色や醸造における発酵など、工業的な用途にも使用されています。

解説 1センテンス目と最終センテンスの solution（溶液）、acid（酸）といった語から化学関係の内容だと推測します。②は1センテンス目に同じ単語があります。⑤は冠詞 a と名詞 amount に挟まれているので、形容詞が入ると推測できます。⑦、⑧ともに、1センテンス目にも登場している語です。⑨は直前に名詞の Human blood があることから、動詞が入ります。⑩、⑫ともに、1センテンス目にも登場している語。⑬は直前にある関係代名詞 which に注目しましょう。目的格だとすると⑬には主語になる語が入るはずですが、そうすると続く its とつながらないので、which は主格と考え、⑬には動詞が入ります。先行詞は a buffer なので、⑬の動詞には三単現の s がつきます。⑭には直後の形容詞 constant を修飾する副詞が入ります。⑯の outside は副詞ですが、outside of（～の外に）のセットで前置詞のように使います。⑱には lead とともに用いる to が入ります。lead to ～で「～につながる」という意味。⑲は result とよく組み合わせる in を見て気がつきたいところです。

Chapter 1

Chapter 2

Read and Complete 攻略

Chapter 3

Chapter 4

Chapter 5

Chapter 6

Chapter 7

実践問題

最後に以下の問題を解いてみましょう。空欄の文字を埋めて文章を完成させてください。

🕒 解答時間 ▶ 各問 3 分

1   My Uncle's Commitment to Justice

My uncle is a great attorney who helps people who have been
falsely accused of committing crimes. Many ① `o` his
② `c l i` can't ③ `a f f` a ④ `l a w`, so he
⑤ `s u p p` them ⑥ `a` a ⑦ `r e d` rate
⑧ `o` sometimes ⑨ `e v` for free. I ⑩ `a d m` him
⑪ `g r e` for that. He always ⑫ `h e` his
⑬ `c l i` get what they deserve. He has even worked on
some pretty famous cases.

2   The Privilege of Parliament

Both the House of Commons and the House of Lords have rights
that are either asserted or granted by statute, which is a written
law passed through legislation. These ① `s t a t`
allow ② `t` Houses ③ `t` accomplish ④ `t a`
without ⑤ `i n t e r`. For example, ⑥ `m e m`
of ⑦ `t` Houses ⑧ `a` guaranteed
⑨ `f r e` of ⑩ `s p e` during ⑪ `d e b`.
What ⑫ `t h` say ⑬ `c a n` be ⑭ `q u e s t`
outside ⑮ `o` Parliament nor be considered slander. These
rights are known as Parliamentary Privilege.

3   The Dietary Preferences of Chimpanzees

Chimpanzees are not typically classified as herbivores or carnivores. Instead, ① t h ___ are ② c l a s s ___ as ③ o m n i ___. However, ④ a d d i t ___ studies ⑤ s u g ___ that ⑥ t ___ chimpanzee ⑦ d i ___ is made ⑧ a l m ___ entirely ⑨ o ___ plant matter, with ⑩ t ___ rest ⑪ c o n s i ___ mostly of insects. Their ⑫ t e ___, jaw hinge, ⑬ a ___ digestive ⑭ s y s ___ are ⑮ a l ___ very ⑯ s i m ___ to ⑰ t h ___ of ⑱ h e r b i ___. Other omnivores, such as bears, on the other hand, have strong molar teeth and temporal jaw muscles, in addition to a simple digestive system known for carnivores.

4   MIMO Technology

MIMO refers to a wireless communication network used for various communication standards including WiMAX, LTE and 5G. While SISO ① u s ___ a ② t r a n s ___ and ③ r e c e ___ with ④ o ___ antenna ⑤ e a ___, a MIMO transmitter and receiver ⑥ h ___ two ⑦ o ___ more antennas each. Multipath propagation— ⑧ r a ___ signals ⑨ r e f l e ___ from ⑩ w a ___, ceilings and ⑪ o t ___ objects— ⑫ d e g r ___ the ⑬ q u a ___ of ⑭ r e c e ___ signals ⑮ a ___ makes the data processing difficult. MIMO ⑯ t u ___ this ⑰ r a ___ interference into an advantage. The MIMO antennas receive the same signal multiple times through different paths and pick the one in the best condition to decode the data.

解答

1 初級

My Uncle's Commitment to Justice

My uncle is a great attorney who helps people who have been falsely accused of committing crimes. Many ① **of** his ② **clients** can't ③ **afford** a ④ **lawyer**, so he ⑤ **supports** them ⑥ **at** a ⑦ **reduced** rate ⑧ **or** sometimes ⑨ **even** for free. I ⑩ **admire** him ⑪ **greatly** for that. He always ⑫ **helps** his ⑬ **clients** get what they deserve. He has even worked on some pretty famous cases.

語句 attorney 名 弁護士／falsely 副 誤って／
accuse 動〈人〉を(不正・罪などのかどで)訴える、告発する／commit 動〈罪〉を犯す／
afford 動 ～を買う[雇う]ことができる／lawyer 名 弁護士／deserve 動 ～に値する

訳 叔父の正義への取り組み
私の叔父は、冤罪で訴えられている人々を助ける偉大な弁護士です。彼のクライアントの多くは弁護士を雇う余裕がないため、彼は割引料金で、時には無料で支援しています。私はそのことで、彼をとても尊敬しています。彼はいつも、クライアントが自らにふさわしいものを得られるように助けています。彼は、かなり有名な事件も何件か手がけたことがあります。

2 中級

The Privilege of Parliament

Both the House of Commons and the House of Lords have rights that are either asserted or granted by statute, which is a written law passed through legislation. These ① **statutes** allow ② **the** Houses ③ **to** accomplish ④ **tasks** without ⑤ **interference**. For example, ⑥ **members** of ⑦ **the** Houses ⑧ **are** guaranteed ⑨ **freedom** of ⑩ **speech** during ⑪ **debates**. What ⑫ **they** say ⑬ **cannot** be ⑭ **questioned** outside ⑮ **of** Parliament nor be considered slander. These rights are known as Parliamentary Privilege.

語句 privilege 名 特権／Parliament 名 (イギリスの)国会、議会／
House of Commons 名 (イギリスの)議会下院／House of Lords 名 (イギリスの)議会上院／
assert 動 ～を主張する／statute 名 法令／legislation 名 立法行為／
interference 名 妨害、干渉／guarantee 動 ～を保障する／
debate 名 (～についての)討論、論争／slander 名 中傷、誹謗／parliamentary 形 議会の

訳 議会の特権
上院と下院はともに、法令によって主張または付与された権利を持っています。法令とは、立法によって成立した成文法です。これらの法令により、両院は干渉されることなく任務を遂行することができます。例えば、両院の議員には、討論中の言論の自由が保障されています。彼らの発言は、議会の外で異論を唱えられたり、誹謗中傷と見なされたりすることはありません。これらの権利は、議会特権として知られています。

Chapter 1
Chapter 2　Read and Complete 攻略
Chapter 3
Chapter 4
Chapter 5
Chapter 6
Chapter 7

3 上級　　　　　　　The Dietary Preferences of Chimpanzees

Chimpanzees are not typically classified as herbivores or
carnivores. Instead, ① **they** are ② **classified** as ③ **omnivores**.
However, ④ **additional** studies ⑤ **suggest** that ⑥ **the** chimpanzee
⑦ **diet** is made ⑧ **almost** entirely ⑨ **of** plant matter, with ⑩ **the** rest
⑪ **consisting** mostly of insects. Their ⑫ **teeth**, jaw hinge,
⑬ **and** digestive ⑭ **system** are ⑮ **also** very ⑯ **similar** to ⑰ **those** of
⑱ **herbivores**. Other omnivores, such as bears, on the other hand,
have strong molar teeth and temporal jaw muscles, in addition to
a simple digestive system known for carnivores.

語句　typically 副 通常、一般的に（は）／classify 動 ～を（…に）分類する／
herbivore 名 草食動物／carnivore 名 肉食動物／omnivore 名 雑食動物／
consist 動（of を伴い）～から成る／hinge 名 関節／
digestive 形 消化の／molar 形 臼歯の／temporal 形 側頭（部）の

訳　**チンパンジーの食事の好み**
チンパンジーは一般的に草食動物や肉食動物に分類されることはありません。代わりに雑食動物
に分類されます。しかし、追加の研究が示唆するところによると、チンパンジーの食事はほとんど
すべて植物から成り、残りはほとんど昆虫で構成されています。歯や顎の関節、消化器官も草食動
物にとてもよく似ています。一方、クマなどのほかの雑食動物は、肉食動物で知られる単純な消化
器系に加え、強力な臼歯と側頭顎の筋肉を持っています。

4 上級　　　　　　　　　　MIMO Technology

MIMO refers to a wireless communication network used for various communication standards including WiMAX, LTE and 5G. While SISO ① **uses** a ② **transmitter** and ③ **receiver** with ④ **one** antenna ⑤ **each**, a MIMO transmitter and receiver ⑥ **has** two ⑦ **or** more antennas each. Multipath propagation— ⑧ **radio** signals ⑨ **reflecting** from ⑩ **walls**, ceilings and ⑪ **other** objects— ⑫ **degrades** the ⑬ **quality** of ⑭ **received** signals ⑮ **and** makes the data processing difficult. MIMO ⑯ **turns** this ⑰ **radio** interference into an advantage. The MIMO antennas receive the same signal multiple times through different paths and pick the one in the best condition to decode the data.

語句　wireless 〔形〕無線の／ transmitter 〔名〕送信器／
multipath propagation 〔名〕マルチパス・プロパゲーション、多重波伝播（無線通信において、反射などの影響で電波が複数の経路を通じて届き、受信側で信号が乱れること）／
degrade 〔動〕〈価値・品質など〉を落とす、劣化させる／ interference 〔名〕妨害、干渉／
decode 〔動〕〈暗号など〉を解読する、復号する

訳　**MIMO テクノロジー**
MIMO とは、WiMAX、LTE、5G などさまざまな通信規格に使われる無線通信ネットワークのことです。SISO が送信機と受信機にそれぞれ 1 つのアンテナを使うのに対し、MIMO 送信機と受信機にはそれぞれ 2 つ以上のアンテナがあります。壁や天井、そのほかの物体に反射した無線信号であるマルチパス・プロパゲーション（多重波伝播）は、受信信号の質を劣化させ、データ処理を困難にします。MIMO はこの電波干渉をメリットに変えます。MIMO アンテナは、異なる経路で同じ信号を複数回受信し、最も状態のよいものを選んでデータを解読します。

Chapter 3

Read and Select 攻略

出題形式

画面に表示された単語のリストから、**実在するもの**を選んでクリックするタイプの問題です。

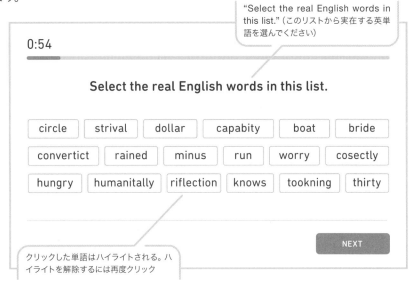

"Select the real English words in this list." (このリストから実在する英単語を選んでください)

> 0:54
>
> ### Select the real English words in this list.
>
> circle   strival   dollar   capability   boat   bride
>
> convertict   rained   minus   run   worry   cosectly
>
> hungry   humanitally   riflection   knows   tookning   thirty
>
> NEXT

クリックした単語はハイライトされる。ハイライトを解除するには再度クリック

- **1問あたりの解答時間** ｜ 1分
- **出題頻度** ｜ 1回のテストにつき4〜6問（4問が多い）
- **出題される単語数** ｜ 1問につき18語

解答時の心構え

Read and Complete（Chapter 2）と同様、ほかの英語の試験では見かけない、かなり特殊な出題形式です。**1単語につき3秒程度**しか使えないので、時間はタイトです。

1つの単語に引っかからず、まずはすべての語をチェックし終えることを意識しましょう。単語の意味を問われているわけではないので、意味を思い出すのに時間を使わないようにしてください。

攻略のポイント

サンプル問題

　本試験では1問ずつ出題されますが、ここでは3問を連続して解いてみましょう。実在する単語の右隣のボックスにチェックマーク（✓）を入れてください。

🕐 解答時間 ▸ 各問1分

1 circle □　　strival □　　dollar □　　capabity □
boat □　　bride □　　convertict □　　rained □
minus □　　run □　　worry □　　cosectly □
hungry □　　humanitally □　　riflection □　　knows □
tookning □　　thirty □

2 interval □　　framework □　　rehair □　　cherrorist □
ornament □　　dacig □　　openness □　　stupidity □
orthodox □　　risolusion □　　confident □　　abstory □
disware □　　sentiment □　　alanter □　　technical □
dismain □　　stickian □

3 reviticize □　　precede □　　ecliptia □　　fitigate □
wreckage □　　pathetic □　　profoundly □　　unanimous □
meslay □　　intruder □　　uphold □　　bungralow □
memute □　　pathery □　　reuts □　　conday □
reconcile □　　consectation □

解答　＊解答では実在する単語のみを示しています。

1 初級レベル　circle ／ dollar ／ boat ／ bride ／ rained ／ minus ／ run ／
worry ／ hungry ／ knows ／ thirty

2 中級レベル　interval 图 間隔、合間　　framework 图 枠組み、構成
ornament 图 装飾、飾り物　　openness 图 開放、率直

stupidity 名 愚かさ

confident 形 自信に満ちた、確信のある

technical 形 技術の、専門の

3 上級レベル precede 動 〜より前に起こる、〜に先行する

pathetic 形 哀れな、無価値な

unanimous 形 満場一致の

uphold 動 〜を支持する

reconcile 動 〜を仲直りさせる、一致させる

orthodox 形 正統派の

sentiment 名 感情、情緒

wreckage 名 残骸、難破

profoundly 副 深く、心から

intruder 名 侵入者

Tips🖙 1問目の正解の単語には、動詞の三人称単数現在形 knows や、動詞の過去形／過去分詞形の rained が含まれています。まれに名詞の複数形や動詞の活用形などが含まれることもあります。

ポイント1 　1問内に異なるレベルの単語が混在することは少ない

　原則的に、1問内の単語のレベルは統一される傾向にあります。サンプル問題も1問目は初級、2問目は中級、3問目は上級で統一しています。**通常、1問目のような初級単語（circle など）と3問目のような上級単語（wreckage など）が同じ問題内に混在することはありません。**

■ 可能性の低い出題パターン（異なったレベルが混在）

circle	precede	dollar	wreckage	boat	pathetic
初級	上級	初級	上級	初級	上級

＊ただし、初級と中級、あるいは中級と上級の単語は混在することがあります。

ポイント2 　難易度を予測して出題に備える

　p. 011 で説明したコンピューター適応型テスト（Computer Adaptive Test）の特徴により、テスト全体を通じて出題される約33問のうちの最初の3問が終了したあとに仮のレベル判定が行われます。Read and Select はこの3問の間に必ず1問出題されます。そして、**「最初の3問中の何問目に出題されるか」によって難易度が異なります。**

出題1回目の難易度予測

- 1問目に出題 ……………… 初級
- 2問目に出題 …………… 初級 or 中級
- 3問目に出題 …………… 中級 or 上級

Chapter 1

Chapter 2

Chapter 3　Read and Select 攻略

Chapter 4

Chapter 5

Chapter 6

Chapter 7

　つまり、「Read and Select の 1 問目に初級の問題が出題される」とは限らないのです。ただ、**この傾向を知っていれば、出題のタイミングから難易度を予測しながら解答することができます。この傾向はすでに受験歴があり、大学院レベルのスコアを取得している人でも変わりません。**出題される単語があまりに簡単だと、「何かひっかけがあるのでは？」と疑心暗鬼になるかもしれませんが、その必要はありません。

出題 2 回目以降の難易度予測

　出題 1 回目の正解率が高ければ、当然 2 回目の出題以降はレベルが上がります。順調に正解した場合の難易度は以下のとおりです（ただし、わずかながらほかのレベルの単語が混在することもあります）。

- 2、3 回目の出題 ……… 中級 or 上級
- 4 回目の出題 …………… 上級

ポイント3　不正解の単語のパターンを知る

　解答を難しくするために、間違いの選択肢の単語には多くの場合、実在する単語と部分的につづりが同じ（または似ている）ものが含まれています。不正解の単語を作るパターンは数多くありますが、ここでは代表的なものを紹介します。

■ 途中まで正しいタイプ

	初級	中級	上級
出題される単語	momentise (ise が余分)	abstory	ecliptia
実在する単語	moment 瞬間	abstract 抽象的な	eclipse （太陽・月の）食

■ 1、2 文字変えるタイプ

	初級	中級	上級
出題される単語	capability (li が不足)	risolusion	bungralow (r が余分)
実在する単語	capability 能力	resolution 決意、決断	bungalow バンガロー

　特に要注意なのは「途中まで正しいタイプ」です。視線は「左 → 右」へと移動するので、最初の正しいつづりを認識すると後続する間違ったつづりを見ても最初の印象に引きずられてしまいがちです。したがって判断に迷う場合は、どちらかと言えば「実在しない単語だ」と判断したほうが妥当なケースが多いでしょう。

練習問題 1 以下の 2 単語のセットは「**実在する単語／実在しない単語**」、それぞれ 1 つずつで構成されています。「**実在する単語**」を選んでください。

⏱ 解答時間 ▸ 30 秒

1 deteritrace　detrimental　**2** meticulous　meticulity
3 devian　deviate　**4** plightly　plight
5 superficial　suprerfisiac　**6** anonimouse　anonymous
7 elusive　elutory　**8** intuition　intudictive
9 hygenetic　hygienic　**10** hectic　hecticize

練習問題 2 今回は難易度を上げたエクササイズです。以下の 2 単語のセットは、A「**実在する単語が 1 つ含まれる**」、B「**2 語とも単語として実在しない**」のいずれかで構成されています。A の場合は「実在する単語」を選び、B の場合は「なし」と解答してください。

⏱ 解答時間 ▸ 30 秒

1 explidate　explidictory　**2** acountbase　accountvate
3 undue　undute　**4** diagnovel　diagnosis
5 loathy　loathe　**6** embode　embody
7 intoleran　intolerasity　**8** credibility　credibictary
9 aledgedily　aledgedral　**10** forgery　forgement

練習問題 1 解答

1 detrimental 形 有害な　**2** meticulous 形 几帳面な
3 deviate 動 逸脱する　**4** plight 名 苦境
5 superficial 形 表面の　**6** anonymous 形 匿名の
7 elusive 形 捕まえにくい　**8** intuition 名 直観
9 hygienic 形 衛生的な　**10** hectic 形 大忙しの

練習問題 2 解答

1 なし (*explicit 形 明白な)　**2** なし (*accountable 形 説明義務のある)
3 undue 形 過度の　**4** diagnosis 名 診断
5 loathe 動 〜をひどく嫌う　**6** embody 動 〜を体現する
7 なし (*intolerant 形 不寛容な)　**8** credibility 名 信頼性
9 なし (*allegedly 副 伝えられるところによると)
10 forgery 名 偽造
*は実在する単語の例

ポイント 4　判断に迷う場合はレベル感から判断する

　不正解の単語が初級レベルの単語に似ている場合、つづりの誤りを見つけるのは容易ですが、上級レベルの単語の場合は難しくなります。「ポイント 3 不正解の単語のパターンを知る」の判別法とともに使っていただきたいのが、「単語のレベル感の違いから推測する」方法です。サンプル問題 **1**（初級）の不正解の単語を見てみましょう。

- humanitally ← humanitarian（人道主義の）に類似

　一見、似ているように見える humanitarian が初級レベルの単語ではないことは容易に理解できるでしょう。一方、「実在する」と判断のつきやすい circle、dollar、boat などは初級レベルの単語ですね。すると「ポイント 1 1問内に異なるレベルの単語が混在することは少ない」から判断して humanitarian はレベルが不自然なので、これに似ている単語は選ばないのが妥当なのです。

　「実在する単語に似ている」選択肢が出たときには、以下の手順で対応しましょう。

Step 1　問題のレベル感（初級・中級・上級）を判断

Step 2　問題内で確実に単語として実在するものと比較し、レベルが一致するかどうかを判断

Step 3　レベルが一致 → 実在する可能性が残る

　　　　レベルが不一致 → 実在する可能性が下がる

ポイント 5　実在する単語の出題率

　この出題形式は合計 4 問程度出題されますが、テスト全体において「実在する単語」の占める割合は平均 50 ～ 60％です。**1 問ごとに見ると約 30 ～ 70％** とかなりの幅はありますが、参考までに頭の中に入れておきましょう。

　例えば、3 問目までで 70％くらいの単語を「実在する単語」として選んでいるようであれば、「もう少し選択を絞ったほうがよいかも」と判断することができます。

実力養成問題

　以下の問題を解いてみましょう。実在する単語の右隣のボックスにチェックマーク（✓）を入れてください。

🕐 解答時間 ▸ 各問1分

1 formantly □　　conventional □　stometric □
　　assert □　　　　poulition □　　　redtime □
　　coincidence □　　bullet □　　　　convince □
　　jealion □　　　　interlight □　　　observaful □
　　critical □　　　　reputation □　　　sip □
　　insident □　　　　detective □　　　headquarters □

2 intensive □　　　upilt □　　　　　scrangy □
　　tility □　　　　　absolute □　　　　thermometer □
　　leadinct □　　　　regulace □　　　　strarior □
　　swove □　　　　　lawyer □　　　　　vivalce □
　　redictve □　　　　promication □　　　restore □
　　graceful □　　　　outspecies □　　　elimence □

3 inhumane □　　　retrieve □　　　　conaviation □
　　respective □　　　megown □　　　　relapse □
　　brair □　　　　　corrupt □　　　　insomnia □
　　upkeep □　　　　miduts □　　　　　abaticity □
　　thoughtless □　　medice □　　　　consue □
　　plethora □　　　　conceited □　　　acousry □

4 coherent □　　　staggering □　　　confraction □
　　grall □　　　　　interim □　　　　reiterate □
　　humiliating □　　scruffy □　　　　analogous □
　　kinery □　　　　mefake □　　　　vivacious □
　　unprecedented □　meoval □　　　　abdict □
　　dismay □　　　　meodor □　　　　willpower □

解答

1 conventional 形 従来の
coincidence 名 偶然の一致
convince 動 ～を確信させる
reputation 名 名声
detective 名 探偵、刑事

assert 動 ～を主張する
bullet 名 弾丸、銃弾
critical 形 重大な、批判的な
sip 動 ～をちびちび飲む、すする
headquarters 名 本部、司令部

2 intensive 形 集中的な
thermometer 名 温度計
restore 動 ～を修復する

absolute 形 完全な、絶対的な
lawyer 名 弁護士
graceful 形 優美な、上品な

3 inhumane 形 非人道的な、残酷な
respective 形 それぞれの
corrupt 形 堕落した
upkeep 名 (家屋・土地などの) 維持
plethora 名 過多、過剰

retrieve 動 ～を取り戻す、回復する
relapse 動 〈病気が〉再発する
insomnia 名 不眠症
thoughtless 形 軽率な、不注意な
conceited 形 うぬぼれている

4 coherent 形 首尾一貫した
interim 名 合間、しばらくの間
humiliating 形 恥をかかせるような、屈辱的な
analogous 形 類似した、似ている
unprecedented 形 前例のない
willpower 名 意志力、意志の強さ

staggering 形 驚くべき、途方もない
reiterate 動 ～を繰り返して言う
scruffy 形 薄汚い
vivacious 形 はつらつとした、快活な
dismay 動 ～を失望させる、動揺させる

Chapter 1
Chapter 2
Chapter 3
Read and Select 攻略
Chapter 4
Chapter 5
Chapter 6
Chapter 7

最後に以下の問題を解いてみましょう。実在する単語の右隣のボックスにチェックマーク（✔）を入れてください。

⏱ 解答時間 ▸ 各問 1 分

1 disgrat □ assembly □ absume □
creete □ starving □ miniature □
wallanty □ compulsory □ disturn □
pioneer □ wreeth □ revenue □
olganisty □ charismatic □ normality □
poisonon □ pastrie □ troublesome □

2 disillusioned □ dickbill □ culverty □
ruthless □ mepier □ incur □
resilient □ troose □ offensive □
memalt □ furnacking □ mewarp □
combig □ inles □ resent □
supreme □ skeptical □ tact □

3 conjay □ xenophobia □ conhis □
conrun □ tanvalizing □ metrot □
condictor □ elaborate □ igniticity □
faternal □ concan □ mecarp □
groan □ inhibition □ vicinity □
resume □ predator □ mepawn □

4 discontent □ relentless □ ongoing □
consit □ trorgeous □ tranquil □
exquisite □ exceedine □ extravagant □
hazardous □ inheritance □ humanitarian □
conhue □ mebuff □ wrinkle □
irreversible □ malicious □ phenomenal □

解答

1 assembly 名 集まり、集会
miniature 名 ミニチュア、小型模型
pioneer 名 先駆者、草分け
charismatic 形 カリスマ的な
troublesome 形 面倒な、迷惑な

starving 形 ひどく空腹の
compulsory 形 必須の
revenue 名 収入、歳入
normality 名 正常

2 disillusioned 形 幻滅を感じた
incur 動〈損害など〉を被る
offensive 形 不快な
supreme 形 最高の、最高位の
tact 名 如才なさ、機転

ruthless 形 非情な
resilient 形 弾力性のある
resent 動 〜に憤慨する
skeptical 形 懐疑的な

3 xenophobia 名 外国人嫌い
groan 動 うめく、うなる
vicinity 名 付近
predator 名 捕食者

elaborate 形 手の込んだ
inhibition 名 抑制、禁止
resume 動 再開する

4 discontent 名 不満、不平
ongoing 形 進行中の
exquisite 形 素晴らしい、極上の
hazardous 形 危険な
humanitarian 形 人道主義の、ヒューマニズムの
wrinkle 名（皮膚・紙などの）しわ
malicious 形 悪意のある

relentless 形 容赦のない
tranquil 形 穏やかな
extravagant 形 金づかいの荒い、ぜいたくな
inheritance 名 相続財産
irreversible 形 元に戻せない、撤回できない
phenomenal 形 並み外れた、たぐいまれな

Chapter 1
Chapter 2
Chapter 3 Read and Select 攻略
Chapter 4
Chapter 5
Chapter 6
Chapter 7

LITERACY   CONVERSATION

COMPREHENSION   PRODUCTION

Listen and Type 攻略

出題形式

再生される英文（1文）を聞き、タイピングで書き取り（ディクテーション）を行います。

解答（残り）時間を常に視界に入れておく

"Type the statement that you hear."
（聞こえた文を入力してください）

0:50

Type the statement that you hear.

Your response

Number of replays left: 2

繰り返し音声を聞く場合は
アイコンをクリック

記入欄の下に「残りの音声再生
回数」が表示される

NEXT

解答時間終了前でも NEXT をクリックして
次に進むことも可能だが、音声再生はすべ
て行うのがお勧め

● 1問あたりの解答時間	1分
● 出題頻度	1回のテストにつき4〜6問（6問が多い）
● 音声再生可能回数	計3回
● 1文に含まれる単語数	**初級・中級**：平均6語*／**上級**：平均10語（最大15語程度） *レベルの違いは使用語彙の違いです。
● その他	この出題形式では、実際には「聞いた内容を記憶に保持する 力」が重要になります。ふだんディクテーションの練習を行っ

Chapter 1

Chapter 2

Chapter 3

Chapter 4 Listen and Type 攻略

Chapter 5

Chapter 6

Chapter 7

ている方でも、音声の再生回数を3回に限定する方は珍しいでしょう。さらに1分という解答時間も加わると、6〜15語といった一見あまり多くない語数の文でも難易度は上がります。

解答時の心構え

書き取りに集中しすぎると、「解答（残り）時間」の表示が視界（意識）から外れることがありますが、それは危険です。解答時間の表示は記入欄から離れた位置にありますが、全文をきちんと書き取るために、常に視界に入れておくよう心がけましょう。**なお、DET の Listen and Type やライティング問題ではカット、コピー、ペーストはできません。**

攻略のポイント

サンプル問題

本試験では1問ずつ出題されますが、ここでは3問連続で音声を書き取ってみましょう。

🕐 解答時間 ▸ 各問1分（音声再生は各問最大3回）　◁》音声 ▸ 001 〜 003

1

_____

2

_____

3

_____

解答

1 初級レベル　What do you want for your birthday?

　　　訳　誕生日には何が欲しいですか？

2 中級レベル　We should discuss this problem from different angles.

　　　訳　我々はこの問題をさまざまな角度から討論する必要があります。

3 上級レベル　Economics primarily focuses on the activities and interactions of various economic agents.

　　　訳　経済学は主に、さまざまな経済主体の活動や相互作用に焦点を当てています。

ポイント1　難易度を予測して出題に備える

この出題形式も Read and Complete (Chapter 2)、Read and Select (Chapter 3) と同様に、テストの最初の3問の間に必ず1問出題されます。そして、難易度は**「最初の3問中の何問目に出題されるか」**によってレベルが異なります。

出題1回目の難易度予測

- **1問目に出題** ……………… 初級
- **2、3問目に出題** ……… 初級 or 中級

出題2回目以降の難易度予測

出題1回目の正解率が高ければ、当然2回目の出題以降はレベルが上がります。順調に正解した場合の難易度は以下のとおりです。

- **2〜6回目の出題** ……… 中級 or 上級

なお、最初の3問の解答結果によって、4〜6問目の Write About the Photo (Chapter 6) の出題レベルが確定します。

ポイント2　「音声の聞き逃し」に注意しよう

3回ある音声再生の機会のうち、1回目の音声再生は Listen and Type の問題画面に切り替わると同時に自動的に開始されます。アイコンをクリックして自分の意思で再生できるのは2、3回目です。このため、「不意を突かれて1回目を聞き損ねた」という受験者が珍しくありません。**特にテスト全体の1問目に出題される場合**はこのような事態に陥りがちです。数少ない音声再生の機会を無駄にしないよう、注意しましょう。

ポイント3　お勧めの書き取りのプロセスと時間配分

1回目の音声終了後、すぐに書き取りを始める方が多くいます。確かに語数が少ない初級（例：サンプル問題**1**）であれば、この方法でも十分うまくいく可能性はあります。しかし、より難易度の高い中級（例：サンプル問題**2**）や、特に上級（例：サンプル問題**3**）の場合はそうはいきません。以下に述べるような書き取りのプロセスと時間配分を意識することをお勧めします。

Chapter 1

Chapter 2

Chapter 3

Chapter 4

Listen and Type 攻略

Chapter 5

Chapter 6

Chapter 7

よくある失敗例

再生 1 回目の直後は、以下の状態になりがちです。

■ **記憶の状態**

記憶に残る部分が少ない

Economics primarily focuses on the activities and interactions of
　　　　　　　　　　　　記憶に残る　　　　　　　　　　　　　　　　記憶があいまい

various economic agents.
　　　記憶に残る

　文頭と文末はどちらも比較的、記憶に残るものの、文の中央辺りがかなりあいまいな状態です。そして、この状態ですぐに書き取りを始めると、書き取り開始前には覚えていたはずの文末付近の記憶が消失してしまうという事態が起こります。

■ **すぐに書き取りをした結果**

Economics primarily focuses on the activities and interactions of
　　　　　　　　　書き取れた　　　　　　　　　　　　記憶があいまい

あれ、さっき覚えていたのに…

various economic agents.
さっき覚えていたはずの部分を忘れる

　書き取りを始める前に覚えていたはずの文末部分の記憶が消失してしまう原因は、「**短期記憶**」の特性にあります。短期記憶とは、新しく知ったばかりの情報で、場合によっては**数秒で記憶から消えてしまう**もののことです。試験で初めて聞いた英語の音声は、この短期記憶になりやすく、**文頭部分（Economics primarily focuses on 〜）を書いている数秒の間に、文末部分（various economic agents）が記憶から消えてしまう**のです。

お勧めのプロセスと時間配分

　上述のような短期記憶の特性に対応するため、特に上級問題については以下のプロセスをお勧めします。

Step 1　1 回目の再生を聞いたら、慌てて書き始めずに、まずは「確実に聞こえた部分」と「自信がない部分」両方をまとめて頭の中でリピートして記憶に定着させ、「ラフな状態のセンテンス」を頭の中にイメージします。このプロセスには数秒を要するものの、慌てて書き始めて忘れる部分が生じるよりはダメージが少なくてすみます。文全体を覚えていないことに慌てて、すぐに 2、3 回目の再生をするのは得策ではありません。

Step 1 のイメージをもとに書き取りを始めます。全く聞き取れていない（あるいは記憶に残っていない）部分にはスペースを空けておきましょう。

2、3 回目の再生をします。特に 1 回目の再生で「聞き取れなかった部分」に集中力を使いながら聞き、スペースを埋めます。同時に入力済み部分の誤りに気がついた場合は修正します。

残り時間 10 秒を切った時点で、最終確認を行います。以下の項目を確認し、正確さを高めます。

確認項目：スペリング、カンマやピリオド、大文字・小文字の表記、名詞の単複、動詞の主語との呼応、時制

Tips 正確さに自信のない単語を省略してしまうのは、採点上不利です。「単語を間違って書く」ほうが「何も単語を書かない」よりもマイナス評価は少なくてすむ可能性があります。間違ってもいいので、何かしら入力するようにしましょう。

ポイント 4 | **文法の知識をフル活用しよう**

　　文法の知識は Listen and Type を攻略する上で重要です。ポイント 3 で解説した Step 4 の「最終確認」で文法の知識が生きてきます。サンプル問題 **3** の書き取り例を見てみましょう。

間違いを含む書き取り例

Economics <u>primary</u> <u>focus</u> on the activities and interactions of various economic <u>agent</u>.

　　この例では、<u>primarily</u>（副詞）とすべきところが primary（形容詞）に、<u>focuses</u> とすべきところが focus に、<u>agents</u> とすべきところが agent になっています。ここで文法的に判断すれば、「動詞 focus(es) の前に形容詞がくるはずはないので、副詞 primari<u>ly</u> のはずだ」「Economics ... focus は economics が『経済学』の意味では単数扱いなので、後ろの動詞は focuses になるはずだ」「various economic agent は various の後ろにくる名詞であることを考えれば agent<u>s</u> になるはずだ」と修正することができるでしょう。

Tips 記憶の上で「明らかに動詞は単数［複数］主語に対応する形だった」「確実に名詞は単数形［複数形］だった」などと自信がある場合を除き、文法的な判断を優先させることをお勧めします。

ポイント 5　上級問題における頻出パターン

　上級の問題では、文の語数が多くなるだけでなく、（すべての問題ではないものの）しばしば以下のようなパターンが難易度を上げる要因になっています。事前に押さえておくと対応しやすいでしょう。

1 「同じ単語／似た単語」の繰り返し

サンプル問題 3 がこれにあたります。

Economics primarily focuses on the activities and interactions of various **economic** agents.

- ・Economics と economic という似た単語が繰り返されるため、この 2 語のみが頭に残ってしまい、ほかの単語の印象が薄れやすい
- ・似た 2 つの単語が登場すると、どっちがどっちだったか混乱しやすい

　これらの理由が受験者の混乱を誘います。また、このパターンを知らないと「似た単語が 2 つ聞こえた気がするけれど、自分の記憶違いかもしれない」と勝手に判断し、間違える可能性もあります。

2 修飾語句による語数の増加

　サンプル問題 2 がこれにあたりますが、Read and Complete でも述べた修飾語句がキーになります。

We should discuss this problem from different angles.
　主語　　　　　　動詞　　　　目的語　　　　　　　修飾語句

　この英文は目的語 (this problem) で終わることも可能で、〈主語＋動詞＋目的語〉だけなら記憶するのは容易です。ところが、上の例のようにそのあとに修飾語句が加わって語数が増えると、難易度が上がります。サンプル問題 2 は中級の問題で修飾語句も短く簡単ですが、以下のように**語数が増えると集中力の持続が困難になり**、難易度は高まります。

We should discuss this problem from different angles
　　　　　　　　　　　　ここまでは集中力が続く

to find a better solution.
集中力が切れ始める……

3 「数字」の繰り返し

「1 『同じ単語／似た単語』の繰り返し」の場合と似ていますが、年号、人数、金額などの数字が繰り返されるパターンです。1つの数字であれば問題がなくても、数字が2つ出てきたり、「20と220」などのように音声的に似た数字が2つ出てきたりすると記憶への負荷は高まります。なお、入力はone、tenなどとスペルアウトするのではなく、アラビア数字（1、20、300など）で入力するほうが時間の節約になります。

| 練習問題1 | 数字の繰り返しについて、以下の問題を解いてみましょう。

🕐 解答時間 ▶ 各問 1 分（音声再生は各問最大 3 回）　🔊 音声 ▶ 004 〜 005

1

_____

2

_____

| 練習問題1 | 解答

1 There are **192** parties that have agreed to the conditions of the protocol.

> 訳　その議定書の条件には 192 の当事者が同意しています。

2 There are over **1,500*** students attending my university from about **50*** different countries.

> 訳　私の大学には約 50 か国から 1,500 人を超える学生が通っています。

＊音声が似ている数値で混乱する場合、「国の数なので 1,500 は不自然だから 50 だろう」などと常識的に判断したほうがよい場合もあります。

4 and などによる情報の列挙

「2 修飾語句による語数の増加」と同じように、語数を増やすことで集中力を失わせるパターンです。以下の2例とも and の代わりに or が使われることもあります。

■ and による名詞の列挙

physics, chemistry, **and** biology

> 訳　物理、化学、生物学

■ and のあとに2つ目の動詞が続く場合

These early trains employed horses **and** ran on wooden railroad tracks.

> 訳　これらの初期の列車は馬を使い、木製の線路を走っていました。

Chapter 1

Chapter 2

Chapter 3

Chapter 4　Listen and Type 攻略

Chapter 5

Chapter 6

Chapter 7

練習問題 2　　and による情報の列挙について、以下の問題を解いてみましょう。

🕐 解答時間 ▸ 各問 1 分（音声再生は各問最大 3 回）　　🔊 音声 ▸ 006 ～ 007

1

2

練習問題 2　　解答

1 The immune system provides a response to viruses, bacteria, **and** other harmful substances.

> 訳　免疫システムは、ウイルス、バクテリア、その他の有害物質に反応します。

2 These are called tax shelters **and** are required to be registered with the agency.

> 訳　これらはタックスシェルターと呼ばれ、その庁への登録が義務づけられています。

ポイント 6　聞き取りを難しくする音の仕組みを知ろう

　ふだんの英語学習でも「文字で見れば知っている簡単な単語ばかりなのに、音で聞くと聞き取れない」といった経験をしたことのある方は多いと思います。いくつかある原因の中で最も重要なのは Read and Complete の「ポイント 3 答えの単語の 90% は基本語」（p. 019）で触れた内容語と機能語の違いです。

　内容語　一般動詞、名詞、形容詞、副詞、指示代名詞、所有代名詞など
　機能語　be 動詞、冠詞、前置詞、人称代名詞、関係詞、助動詞、接続詞など

Chapter 2 では、以下のように説明しました。
　内容語　単語 1 つ 1 つの持つイメージが**強い**
　機能語　単語 1 つ 1 つの持つイメージが**弱い**

しかし、Listen and Type では、下記の点が重要になります。
　内容語　**強く**発声される傾向がある
　機能語　**弱く**発声される傾向がある

　英語ではこの強弱により「波がうねるような」イントネーションが生じますが、日本語では、単語 1 つ 1 つが均等に「フラットに」発声される傾向があります。

サンプル問題 **2** のセンテンスを使ってこの 2 つのイントネーションを視覚化すると、以下のようになります（薄い文字は弱く発声される部分、太字は強く発声される部分）。

■ 英語のイントネーション

We should **discuss** this **problem** from **different angles**.

■ 日本語的なイントネーション

We should discuss this problem from different angles.

　この違いを意識せず、英語も日本語と同じように発声されると期待しているとリスニング力の改善は期待できません。まずは日本語と英語の強弱の違いをしっかりと意識しましょう。特に機能語は注意が必要です。もともと弱く発声される語なので、明確に聞き取ろうとして必要以上に注意力を使うのは得策ではありません。基本的な文法知識で「このフレーズにはこの前置詞のはず」などと頭の中で補いながら理解しましょう。

実力養成問題

以下の問題の音声を書き取ってみましょう。 🕒 **解答時間 ▸ 各問1分 (音声再生は各問最大3回)**

🔊 **音声 ▸ 008 〜 013**

1
_____

2
_____

3
_____

4
_____

5
_____

6
_____

解答と解説

1 What did he want in return?

彼は何を見返りに望みましたか?

語句 in return 〔句〕お返しに、見返りに

解説 want in がくっついて聞こえますが、What did he の後ろに wanting がくることはありえないので、落ち着いて in return を聞き取りましょう。

2 I helped my father clean the garage.

私は父が車庫を掃除するのを手伝いました。

語句 help〈人〉do 〔句〕〈人〉が〜するのを手伝う／garage〔名〕車庫

解説 garage は 2 つ目の a にアクセントがあり、「ガレージ」とはかなり印象が異なるので、要注意。

3 New York City has 2,000 churches and 4,000 informal places for worship.

ニューヨークには 2,000 の教会と 4,000 の非公式の礼拝所があります。

語句 informal〔形〕非公式の／worship〔名〕礼拝

解説 2,000 と 4,000 という 2 つの数字が登場するので、混乱しないように注意しましょう。文末の for worship (礼拝のための) は直前の informal places を修飾しています。

4 Her brothers studied really hard for all of their school exams this year.

彼女の兄弟たちは今年、すべての学校の試験のためにとても一生懸命勉強しました。

語句 exam〔名〕試験 (examination を短くした形)

解説 文の基本は Her brothers studied だけ。really hard (とても一生懸命)、for all of their school exams (すべての学校の試験のために)、this year (今年) のすべてが、この基本部分を修飾しています。

5 It also gives data on event timing and rates of change in the environment.

それは環境における事象の発生時期と変化率に関するデータも示しています。

語句 rate〔名〕比率

解説 等位接続詞 and を挟んで event timing と rates of change が並置されています。事前の情報もなくいきなり also (また) と言われるとその不自然さに気を取られがちですが、あとに続く内容に集中しましょう。

6 Physics equations can be used to help explain various phenomenon in the physical world.

物理の方程式は、物質界のさまざまな現象を説明する助けとして使われることがあります。

語句 physics 图 物理（学）／equation 图 方程式／various 形 さまざまな／phenomenon 图 現象／physical 形 物質の、物理（学）の

解説 help の後ろには直接、動詞の原形が続くことがあります（意味は help to do と同じ）。文頭の Physics（物理［学］）と文末近くの physical（物質の）は派生関係にある単語です。Physics は名詞ですが、続く equations と複合名詞を構成しています。似た単語が 2 つ出てきて慌てないようにしましょう。

実践問題

最後に以下の問題を解いてみましょう。

⏱ 解答時間 ▸ 各問 1 分 (音声再生は各問最大 3 回)

🔊 音声 ▸ 014 〜 019

1
_____

2
_____

3
_____

4
_____

5
_____

6
_____

解答と解説

1 My life has become so complicated since I moved to a large city.

大都市に引っ越してから、私の生活はとても複雑になりました。

語句 complicated 〔形〕複雑な

解説 since の後ろには名詞か節が続きます。この問題では直後に I が続いているので、節が続いているとわかります。

2 The House has 1 member for each electoral district, totaling 338 members.

下院は各選挙区に 1 人、合計 338 人の議員がいます。

語句 the House 〔名〕下院／electoral 〔形〕選挙の／total 〔動〕合計で〜になる

解説 数字が 2 つ登場します。1 は簡単ですが、分詞構文 (totaling 〜) 中に 338 というやや複雑な数字が出てくるので、慌てて 1 まで忘れてしまわないように注意しましょう。

3 The strong winds and accompanying rain of a hurricane can be incredibly destructive.

ハリケーンの強風とそれに伴う雨は信じられないほど破壊的になることがあります。

語句 accompanying 〔形〕付随する／incredibly 〔副〕信じられないほど／destructive 〔形〕破壊的な

解説 文頭の The から hurricane までと長い主語を持つ文です。can be が聞こえたところで、動詞が始まったと判断できます。accompanying は動詞 accompany (〜に伴う) の ing 形からきた語で、ここでは直後の rain (雨) を修飾しています。

4 The surveyor used various principles and demonstrated that work met the expected standards.

測量士はさまざまな原則を使い、その作業が目標水準を満たしていることを証明しました。

語句 surveyor 〔名〕測量士／principle 〔名〕原則、指針／demonstrate 〔動〕〜を証明する／meet 〔動〕〈条件・目標など〉を満たす

解説 等位接続詞 and を挟んで動詞 used と動詞 demonstrated が並置されている文です。demonstrated の後ろには接続詞の that が省略され、that work (その作業) が続いています。

5 Analytical techniques are used to determine the concentration of a compound or chemical element.

分析技術は、化合物や化学元素の濃度を決定するのに使われます。

> **語句** analytical 形 分析の（＝ analytic）／ determine 動 ～を決定する／
> concentration 名（溶液の）濃度／ compound 名 化合物／ chemical 形 化学の／
> element 名 元素

> **解説** 難易度の高い単語が数多く含まれる文です。concentration of の後ろに a compound と chemical element が等位接続詞 or を挟んで並置されています。

6 Natural science is concerned with the understanding of natural objects and phenomena.

自然科学は自然の事物や現象を理解することに関係しています。

> **語句** concerned 形（with を伴って）～に関係している／ object 名 事物、対象／
> phenomena 名 phenomenon（現象）の複数形

> **解説** natural という単語が 2 回登場するので慌てないように注意しましょう。

Chapter 5

Read Aloud 攻略

出題形式

画面に表示された英文（1文）を音読する問題です。

残り時間が視界から
外れないよう注意

"Record yourself saying the statement below."（下の文を読むご自身の声を録音してください）＊この指示文の音声は流れない

0:14

Record yourself saying the statement below.

However, the film received negative reviews for its lack of authenticity.

RECORD NOW

自分で RECORD NOW をクリックしないと録
音されないので要注意！

- **1問あたりの解答時間** 　20秒

　＊ 短い解答時間内で音読することばかりに気を取られるあまり、肝心の RECORD NOW ボタンを押し忘れがちです（画面右下にあり、視界からも外れがちです）。ただ、これをクリックしない限り録音は開始されず、クリックし忘れても「忘れてますよ」といったリマインドもありません。そのまま解答時間が終了すると、その問題のスコアはゼロとなります。

- **出題頻度** 　1回のテストにつき4〜6問（6問が多い）

- **1文に含まれる単語数** 　初級：平均7語／中級：平均10語／上級：平均15語（最大18語）

　時間がタイトなので、特に解答時間を意識することが大切です。採点されるのは「音読の正しさ」なので、たとえ文の意味を理解する余裕がなくても、発声の強弱やイントネーション、休止部分を意識して、理解しているように読むことを心がけましょう。解答時間内に読み終えられないと減点になります。

攻略のポイント

サンプル問題

本試験では1問ずつ出題されますが、ここでは3問連続で音読しましょう。

🕐 解答時間 ▶ 各問 20 秒

1 However, the film received negative reviews for its lack of authenticity.

2 We will only consider you physically fit if you pass our test designed to assess physical fitness.

3 In analytic languages, syntax is used to impart information, but synthetic languages do this via inflection.

訳

🔊 音声 ▶ 020 〜 022

1 中級レベル

　語句　lack 图 不足／authenticity 图 信憑性、信頼性

　訳　しかし、その映画は信憑性に欠けると酷評されました。

2 上級レベル

　語句　physically 副 身体的に／fit 形 (体が) 健康な／assess 動 〜を評価する

　訳　体力を評価するためのテストに合格した場合のみ、あなたを身体的に健康であると判断します。

3 上級レベル

　語句　analytic language 图 分析的言語／syntax 图 統語法、構文法／impart 動 〈情報など〉を伝える／synthetic language 图 総合的言語／via 前 〜を経て／inflection 图 語形変化

　訳　分析的言語では構文法を使って情報を伝えますが、総合的言語では語形変化によって情報を伝えます。

ポイント1　1問目からの中上級の出題に備える

　この出題形式が初めて出題されるときにはすでに仮のレベル判定がなされ、**受験者に応じたレベル設定**になっています。したがって、**留学を希望するレベルの受験者に初級の問題が出題される可能性は低く**、サンプル問題でも初級の問題は含めていません。最初から語数の多い難易度の高い内容が出題される可能性があります。

ポイント2　意味の理解より「音読」を優先する

　この出題形式についての Duolingo による説明では「Comprehension（聞いて読む能力）」を測定することになっています。しかし、準備時間なしに 20 秒以内で解答しなければならないので、文をじっくり読んで意味を理解する余裕がない場合も珍しくありません。サンプル問題 **3** をもう一度見てみましょう。

In analytic languages, syntax is used to impart information, but synthetic languages do this via inflection.

　上級レベルの単語の中でも難易度の高いものが並び、文意を日本語に置き換えても専門知識がないと理解するのは困難でしょう。ただし、**採点されるのはあくまでも「音読の正しさ」です。「受験者が内容を本当に理解しているか」は測定されない**ので、「文の内容理解」よりも「声に出して読むこと」を最優先で考えましょう。知らない単語でも既知の単語のつづりを頼りに、「さも文意を理解しているかのごとく」読みましょう。

Tips☞　サンプル問題 **1** では文頭が "However, 〜" となっています。文脈もないのに「しかし〜」で始まるので「" しかし " って何だろう？」と気になるかもしれませんが、あくまで「文の正確な音読」に集中しましょう。似たケースに、以下のような文の始まり方があります。

例　These (This、He、She) 〜 / They also 〜 / There are also 〜 / Also, 〜 / Following this, 〜

ポイント3　時間配分を意識する

　準備をせずに読み始めると、出だしはうまくいっても途中でつかえて減点されることになりかねません。中上級レベルの問題の場合、以下のプロセスをお勧めします。

Step 1　文をざっと見て、**「知らない単語」「知ってはいるが、発音に自信がない単語」**がないかチェックします。

Step 2　録音開始前に文全体を**声に出して「試し読み」**します（時間がない場合は Step 1で挙げた単語のみでも OK）。「知らない単語」はつづりを頼りに発声しましょう。

Step 3　遅くとも**残り時間 10 秒になった時点**で RECORD NOW をクリックし、音読を開始します。

Tips🖝　「文全体を声に出して読む」ことが重要なので、時間がタイトな場合は、音読のスピードは多少速めでも OK です（読み終えられない事態は避けましょう）。

ポイント4　文中の「休止のポイント」を意識する

　問題のレベルが上がれば文の語数が多くなりますが、全文を一気に同じテンポで読むのは不自然です。残り時間が許す限り、聞き取りやすさのためにも、わずかな休止部分を意識して音読してください。以下のパターンを目安に、「意味のかたまりごとに区切る」ようにしましょう。なお、目安は絶対的なものではないので、参考としてご利用ください。

後ろに休止がくる　長い主語、カンマ

前に休止がくる　that 節、前置詞、関係詞（関係代名詞、関係副詞）、接続詞、現在分詞、過去分詞

However, / the film received negative reviews / for its lack of authenticity.
　　　↑　　　　　　　　　　　　　　　　　　　↑
　カンマの**後ろ**　　　　　　　　　　　前置詞 (for) の**前**

練習問題1　以下の 3 問を音読したあと、適切な部分にスラッシュ(/) を書き込んで「休止のポイント」を確認しましょう。

🕐 解答時間 ▶ 各問 20 秒

1 Certain observations seem to confirm that the expansion of the universe is occurring because of dark energy.

2 The report, compiled by independent panels of inquiry investigating the accident, was never published.

3 The various languages that form Chinese have been phonetically transcribed into numerous other writing systems.

練習問題 1 解答　　　　　　　　　　　　　　　🔊 音声 ▶ 023 ～ 025

1 Certain observations seem to confirm / ① that the expansion of the universe is occurring / ② because of dark energy.

① that 節の前　② 前置詞の前

　訳　ある観測が宇宙の膨張がダークエネルギーによって起きていることを確認したようです。

2 The report, / ① compiled by independent panels of inquiry / ② investigating the accident, / ③ was never published.

① カンマの後ろ　② 現在分詞の前　③ 長い主語 (The report ～ accident) の後ろ

　語句　compile 動 ～をまとめる／ panel 名 委員会／ inquiry 名 調査

　訳　その事故を調査している独立調査委員会がまとめた報告書は、決して公表されることはありませんでした。

3 The various languages / ① that form Chinese / ② have been phonetically transcribed / ③ into numerous other writing systems.

① 関係詞の前　② 長い主語 (The various languages ～ Chinese) の後ろ　③ 前置詞の前

　語句　phonetically 副 音声学的に／ transcribe 動〈音声〉を発音記号で書き表す／ numerous 形 多数の

　訳　中国語を形成するさまざまな言語は、音声学的にほかの多くの書記体系に音声表記されてきました。

ポイント 5　**発声の強弱を意識する**

　Listen and Type (Chapter 4) の「ポイント 6 聞き取りを難しくする音の仕組みを知ろう」(p. 053) で「内容語は強く発声され、機能語は弱く発声される」と説明しました。Read Aloud では受験者自らこのポイントを実践することが、英語らしさを出すために重要になります。

練習問題 2　　以下の 3 問を音読したあと、「内容語」に下線を引いてください。

⏱ 解答時間 ▶ 各問 20 秒

1 One goal of pediatricians is to prevent diseases with vaccinations before they happen.

2 Quantum theory and the theory of relativity were developed due to issues in classical mechanics.

3 The Byzantine Empire also had administrative jobs, but individuals were vested rather than offices.

1 One goal of pediatricians is to prevent diseases with vaccinations before they happen.

　語句　pediatrician 名 小児科医

　訳　小児科医の目標の1つは、病気になる前にワクチンで病気を防ぐことです。

2 Quantum theory and the theory of relativity were developed due to issues in classical mechanics.

　語句　quantum theory 名 量子論／ the theory of relativity 名 相対性理論／
classical mechanics 名 古典力学

　訳　量子論や相対性理論は、古典力学の問題のために発展しました。

3 The Byzantine Empire also had administrative jobs, but individuals were vested rather than* offices.

　語句　administrative 形 管理の、行政の／ vest 動〈権利など〉を（人）に与える

　訳　ビザンチン帝国にも行政職はありましたが、役職ではなく個人に権限が与えられていました。

＊ rather than で1つの副詞のように強く読みます。

ポイント6　イントネーションを意識する

　イントネーション（抑揚）とは、文末、または文の途中における「上がり調子」「下がり調子」のことです。Yes/No で答える疑問文（例：Are you a student?）の文末が上がり調子になり、疑問詞で始まる疑問文の文末が下がり調子になることはよく知られていますね。しかし、このような簡単な文が Read Aloud で出題される可能性は低いので、DET の受験者が意識すべきなのは以下のようなポイントです。

上がる　従属接続詞（while、because、if、when など）で始まる文の従属節の最後

　例　While + S + V, S + V.

下がる　平叙文の文末、長い主語の後ろ

上がる & 下がる　並列記載（並列関係の語句）

　例　A or/and B
　　　A, B or/and C

練習問題3 以下の3問を音読したあと、かっこ内に ➚ または ➘ を書き込んでイントネーションを確認しましょう。

🕐 解答時間 ▶ 各問 20 秒

( )　　　　　　　　　　( )
1 If left to ferment on its own, coconut turns into palm wine.

2 Their energy sources extend to many types, such as nuclear
( )　　　　　　( )　　　　　( )
power, coal-burning power, and solar power.

3 Plastics materials are collected by either waste management
( )　　　　　( )　　　　( )
companies or municipalities for recycling.

練習問題3 解答 　　　　　　　　　　🔊 音声 ▶ 029 ～ 031

(➚)　　　　　　　　　　　　(➘)
1 If left to ferment on its own, coconut turns into palm wine.

語句 ferment 動 発酵する

訳 ココナツをそのまま発酵させると、パームワインになります。

2 Their energy sources extend to many types, such as nuclear
(➚)　　　　　　(➚)　　　　　(➘)
power, coal-burning power, and solar power.

訳 彼らのエネルギー源は、原子力、石炭火力、太陽光など多岐にわたります。

3 Plastics materials are collected by either waste management
(➚)　　　　　(➘)　　　　(➘)
companies or municipalities for recycling.

語句 municipality 名 地方自治体

訳 プラスチック素材はリサイクルのために廃棄物処理会社や地方自治体によって回収されます。

　DET はノンネイティブ向けのテストなので、発音についてネイティブ並みの正確さは必要ではありませんが、日本の学習者にとって要注意なポイントをいくつかご紹介します。

1 要注意の子音

▶ **l vs. r**

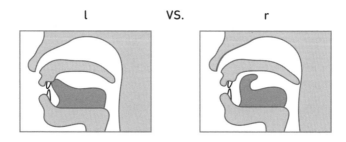

l　舌先を上歯茎につけます。
　　例 lead、less、load

r　舌先をのどに向かって曲げつつ、舌先がどこにもつかないようにします。日本人にとって難しいのがこちら。
　　例 read、red、reach

▶ **b vs. v**

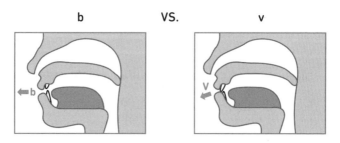

b　カタカナの「ブ」に近いですが、そのままだと唇を開く際の「破裂音」が弱くなりがちです。閉じた唇を開いて息を出す際に、息がはっきり口から出るようにやや強めに。
　　例 best、break、bleach

v　上の前歯を下唇に当てて発声します。日本語にない口の動きです。
　　例 vest、visit、vision

‣ s vs. θ

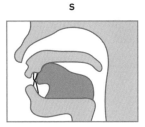 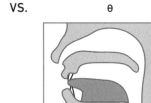

s　舌を前歯の後ろに近づけ、「スー」と息を吐き出します。

　　　例　**s**ky、**s**pecial、**s**ecret

θ　上下の歯の間に舌先を軽く挟み、「スー」と息を吐き出す。日本語にはない口の動きです。

　　　例　**th**ink、**th**ank、ma**th**

2 英語の4つの「ア」を意識する

　日本語では「ア」の音は1つしかありませんが、英語では「ア」に近い音がたくさんあります。発音し分けるのは大変ですが、まずは違いを頭で理解し、少しずつ発音を改善していきましょう。ここでは特に日本語の「ア」に近い4つの音を、発音記号ごとに見ていきます。

‣ æ

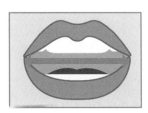

つづりとしては主に "a" で発生

　　例　cr**a**sh、fl**a**sh、l**a**nd

　中学校などの英語の授業で練習する **cat** に含まれる音です。口を大きく開けますが、特に横に広げる点を意識しましょう。「アとエの中間の音」、「アとエを同時に出す感じ」とよく説明されます。これでイメージがつかみにくい方は **「エ → ア」の順で速く発声 (land ならレェァンド)** してみると æ の音に近づきます。

▶ ʌ

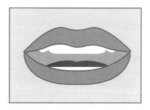

つづりとしては主に "ou"、"o"、"u"、"oo" で発生

例 c<u>ou</u>ntry、c<u>o</u>mpany、m<u>u</u>d、fl<u>oo</u>d

大きくならない程度に口を開け、短めに発声します。4 つの中では日本語の「ア」に最も近い音です。

▶ ɑ

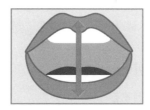

つづりとしては主に "o"、"a" で発生

例 <u>o</u>dd、b<u>o</u>x、<u>o</u>pera、w<u>a</u>llet

口を大きく、特に縦に開ける点を意識します。のどの奥から「ア」と発声します。

▶ ə

▼ はアクセントの位置

例 J<u>a</u>pan、s<u>u</u>pport、probl<u>e</u>m

「あいまい母音（シュワー）」と呼ばれる音です。口はあまり開けず、文字どおり「あいまいに、弱く」発音します。実は "Japan" に含まれる 2 つの "a" の発音は異なります。2 つ目は先に見た æ ですが、1 つ目がこの ə です。あいまいな音なので、**アクセントのない、弱く発音される音節に発生します。**Japan は "pan" が強く発音されるので、弱いほうの "Ja" に ə が発生するわけです。「あいまい母音」はさまざまな英単語に含まれるので、避けて通ることはできません。

ポイント8　音の変化のパターンを知る

　複数の語を発声する場合、それぞれの語が本来の発音とは異なる音に変化することがあります。ネイティブスピーカーが速めのテンポで発話するときに生じる「クセ」のようなものです。常に変化が生じるわけではありませんが、変化のパターンを知っていればリスニングにも役立ちます。以下の2つのパターンを押さえておきましょう。

1 音の脱落

　語末と語頭で同じ（または類似する）子音が連続すると、前の音がほとんど聞こえないほど小さくなることがあります。b、p、g、k、d、t が文末や語末にくるときも同様の現象が起こることがあります。

> **例** （サンプル問題 **2**）

We will only consider you physically fit if you pass our
test designed to assess physical fitness.

　この場合、test の語末の t、designed の語末の d が小さく発音されます。

2 音の連結

　語頭の母音の前に前の単語の子音がくると、2つの音がつながり、別の音のように発声されることがあります。

> **例** （サンプル問題 **1**）

However, the film received negative reviews for its
lack of authenticity.

ラック　**オブ**　**オ**ーセンティスィティー　→　ラッ**カァバ**アーセンティスィティー

　また、語頭の母音の前に、前の単語の r の音がくると、つながることがあります。

> **例**

far away　ファー　アウエイ　→　ファーラウエイ

　外国語を発話する際、日本語の影響で「子音で終わるべき語尾にわずかに母音がついてしまう」現象を「母音挿入」と言います。以下の文を例に取ってみましょう。

You shoul**d** deci**de** wha**t** you wan**t** to accomplish over the next 10 years when writing a business plan.

訳　ビジネスプランを書く際は、今後10年間で成し遂げたいことを決めるべきです。

子音で終わる単語		母音挿入の発音
shoul**d**	→	shoul**do**
deci**de**	→	deci**do**
wha**t**	→	wha**to**
wan**t**	→	wan**to**

＊「母音挿入」では不要であるはずの「ォ」が追加されています。

　母音挿入は無自覚に発生していることが多く、日本人には聞きやすいとも言えますが、英語本来の発音とは異なるので採点上は不利になります。つづりから正しい語尾の発音の判断がつくものもあるので、「子音で終わるべき単語はピタッと子音で終わらせる」ことを意識しましょう。

実力養成問題

以下の問題について音読したあと、①〜③を行いましょう。

① 適切な箇所に休止の印（/）を書き込む、②内容語に下線を引く、③イントネーションの「上昇」している部分に➚を、「下降」している部分に➘を書き込む

⏱ **解答時間 ▸ 各問 20 秒**

＊解答時間は音読のみで、上記の①〜③の練習は含まれません。

1 Some of the methods used for the development of the field are derived from safety engineering.

2 They help both students and experts understand historical events, their chronology, and trends surrounding the events themselves.

3 With the price caps removed, companies filed paperwork rationalizing higher costs to federal regulators.

4 Many musicians are unable to compose and play an instrument simultaneously because it is difficult.

5 In anthropology, we aim to provide a holistic account of people and cultures through careful analysis.

6 Also, a more robust institutional framework for coordinating relevant governmental agencies was added.

解答例

＊脱落する音を ▨ で示し、連結する音を ⌣ で示してあります。

1 Some of the methods used / for the development of the field / are derived from safety engineering.

語句 be derived from 〜 熟 〜から派生している

訳 その分野の発展に使われる手法の中には、安全工学から派生したものもあります。

2 They help both students and experts understand historical events, / their chronology, / and trends / surrounding the events themselves.

語句 chronology 名 年代、年表

訳 それらは、学生と専門家の両方が歴史上の出来事、その年代、および出来事自体を取り巻く傾向を理解するのに役立ちます。

3 With the price caps removed, / companies filed paperwork / rationalizing higher costs / to federal regulators.

語句 price cap 名 価格上限規制／ paperwork 名 書類、文書事務／ rationalize 動 〜を正当化する、合理的に説明する／ federal 形 連邦の／ regulator 名 規制者［機関・当局］

訳 価格上限規制が撤廃され、企業は連邦規制当局にコスト上昇を正当化する書類を提出しました。

4 Many musicians are unable to compose and play an instrument simultaneously / because it is difficult.

語句 compose 動 作曲する／ instrument 名 楽器／ simultaneously 副 同時に

訳 作曲と楽器の演奏を同時に行うことは困難なため、多くの音楽家はそれを行うことができません。

5 In anthropology, / we aim to provide a holistic account of people and cultures / through careful analysis.

語句 anthropology 名 人類学／ holistic 形 全体（論）的な／ account 名 話

訳 人類学で私達は、注意深い分析を通して人々と諸文化の全体像を説明することを目指しています。

6 Also, / a more robust institutional framework / for coordinating

relevant governmental agencies / was added.

語句 robust 形 頑丈な、強固な／ institutional 形 組織の、制度の、機関の／
coordinate 動 〜をうまく調整する、まとめる／ relevant 形 関連する

訳 さらに、関連する政府機関を調整するためのより強固な制度的枠組みが追加されました。

Chapter 1
Chapter 2
Chapter 3
Chapter 4
Chapter 5　Read Aloud 攻略
Chapter 6
Chapter 7

最後に以下の問題を音読しましょう。

🕐 解答時間 ▸ 各問 20 秒

1 Voids created by surface water infiltration can be filled by slab stabilization.

2 Protons, neutrons, and electrons are the three subatomic particles that constitute an atom.

3 Pollinators such as butterflies are attracted to many flowers because of their brightly colored petals.

4 Through ethical practices, you may become stable enough to embark on mental cultivation using meditation.

5 They aspire to create a system of a desired functionality without considering how it will be developed.

6 Quarries that dug up more materials due to the closure of others were eventually shut down.

解答例

*/ は休止、下線は内容語、➚はイントネーションの上昇している部分、➘は下降している部分、 は脱落する音、⌣ は連結する音を示しています。

1 Voids created by surface water infiltration / can be filled by slab stabilization.

語句 void 名 (物理的な) 隙間、割れ目／ infiltration 名 浸入、浸透／
slab 名 (コンクリートなどの) 厚板、スラブ／ stabilization 名 安定化

訳 表面水の浸入によって生じた空隙は、厚板安定化処理によって埋めることができます。

2 Protons, / neutrons, / and electrons / are the three subatomic particles / that constitute an atom.

語句 proton 名 陽子／ neutron 名 中性子／ electron 名 電子／
subatomic 形 原子を構成する、亜原子の／ constitute 動 〜を構成する

訳 陽子、中性子、および電子は、原子を構成する3つの亜原子粒子です。

3 Pollinators such as butterflies are attracted to many flowers / because of their brightly colored petals.

語句 pollinator 名 受粉媒介者 (花粉を運ぶ昆虫、哺乳類、鳥類などの動物)／
petal 名 花弁、花びら

訳 蝶などの受粉媒介者は、鮮やかな色の花弁のために多くの花に引き寄せられます。

4 Through ethical practices, / you may become stable enough to embark on mental cultivation / using meditation.

語句 embark 動 始める／ cultivation 名 修練、育成／ meditation 名 瞑想

訳 倫理的な実践を経て、瞑想による心の修養に踏み出すことができるくらい安定するかもしれません。

5 They aspire to create a system of a desired functionality / without considering how it will be developed.

語句 aspire 動 〜を熱望する、目指す

訳 彼らは、開発方法を考えずに、望ましい機能のシステムを作ることを目指しています。

6 Quarries that dug up more materials / due to the

closure of others / were eventually shut down.

語句 quarry 〔名〕採石場

訳 ほかの採石場の閉鎖によってより多くの材料を掘り起こした採石場は、最終的に閉鎖されました。

Write About the Photo 攻略

出題形式

　画面に表示された 1 枚の写真を英語で描写します。留学レベルのスコアを狙うのであれば、2 センテンス以上書くことが望まれます。出題順的には最初の発信型能力測定の問題です。

> この問題も残り時間が視界から外れないよう注意。写真が表示されるのと同時にカウントダウン開始。準備時間はなし！

```
0:55                          "Write a description of the image below for 1 minute."
                              (下の画像の描写を 1 分で書いてください)
```

Write a description of the image below for 1 minute.

Your response

> 少数の例外を除き、カラー写真。サイズはかなり小さい

NEXT

- **1 問あたりの解答時間** ｜ 1 分
- **出題頻度** ｜ 1 回のテストにつき 3 問 (ほかの出題形式とは異なり、通常 3 問連続で出題される)
- **被写体** ｜ 人間が中心： 70％程度／動物が中心： 10％程度／事物や風景が中心： 20％程度

　「一見、やさしめのライティング問題」という印象を受けますが、それを打ち消すのが**解答時間の短さ (1 分。準備時間なし)** です。DET のスピーキング、ライティング問題の中でも、**多くの人が時間がタイトだと感じるようです**。書く内容を事前に決め、効率よく書くことが重要で、この Chapter ではその際に役立つ「**時間の節約法**」もお教えします。なお、うまく書けなくても次の問題に移った時点で気持ちを切り替えるメンタルの強さも大切です。失敗を引きずっている間にも次の問題は 1 秒、2 秒……と進んでいきます。

攻略のポイント

サンプル問題

　以下の問題を本試験と同じ解答時間で解いてみましょう。カラー写真は巻頭 p. i を参照してください。

🕒 解答時間 ▶ 1 分

解答記入欄

解答例

上級　Four people wearing backpacks are climbing a steep mountain slope covered with rugged stones. On the left lie bare bushes and tall trees. The snowy peaks of a mountain stand ahead of the hikers.

(34 ワード)

> **語句**　rugged 〔形〕ごつごつした

> **訳**　バックパックを背負った 4 人がごつごつした石に覆われた山の急斜面を登っています。左側には葉の落ちた低木と高い木々があります。ハイカーたちの前方には雪をかぶった山の頂がそびえています。

中級　Four people are hiking on a rocky trail. All of them are wearing backpacks. On the left, there are small trees that have no leaves.

(25 ワード)

> **訳**　4 人が岩だらけの小道をハイキングしています。4 人ともバックパックを背負っています。左側に葉のない低木があります。

ポイント 1　「2 センテンス以上」「30 ワード以上」を目標にしよう

　中上級のスコアを狙うのであれば **2 センテンス以上**は必要です。スコアは、使う語彙や語法などほかの要因も関係してきますが、**中級は 20 ワード以上、上級は 30 ワード以上**が望ましいでしょう。

Tips　**語数の感覚を養う**

　スコアを取る上で語数は重要ですが、ライティング問題では画面に語数は表示されません。したがって、ふだん学習するときに DET の公式サイトにある無料の練習テストを使い、目標とする語数を書くと記入欄がどの程度埋まるのかを確認しておくのがよいでしょう。

　本試験とは異なり、練習テストはほかのアプリを立ち上げたままでも利用可能です。事前にワードなどに保存してある語数確認済みのテキストを、練習テストの記入欄にペーストしてみましょう。これである程度はテスト記入欄における行数を確認できます。

ポイント 2　解答の基本構成

1　基本は「概要 → 詳細」の流れ

　たった 1 分間で答案を書くためには、何から描写するかを悩んでいる時間はありません。最初から細部の描写をするのではなく、「**概要 → 詳細**」の順に書くという方針を事前に頭に入れておきましょう。

「**写真を見ていない人に、写真の内容を一言で伝える**」つもりで書きましょう。主な構成要素は以下の３つです。

① 主な被写体　② 被写体の主な動き・状態　③（重要性が高ければ）場所

まずは主な被写体（人／動物／物）を特定することが重要です。当然のことながら「**目につきやすい**」「**写真の中央にある（写真の端にはない）**」という傾向があります。

概要に続き、細部を描写します。想定されるものには以下があります。

④ 主な被写体の**細かな**動き　⑤ 人の表情　⑥位置関係　⑦周辺の物／風景／人

サンプル問題の解答例を見てみましょう。

概要 Four people wearing backpacks are climbing a steep mountain slope covered with rugged stones. **詳細** On the left lie bare bushes and tall trees. The snowy peaks of a mountain stand ahead of the hikers.

概要

内容を前記の構成要素に当てはめると以下のとおりとなります。

Four people wearing backpacks are climbing
　　　　①主な被写体　　　　　　②被写体の主な動き・状態
a steep mountain slope covered with rugged stones.
　　　　　　　　　③場所

「概要」で「**写真の内容を一言で伝える**」と考えると、このくらいの描写が妥当でしょう。ここに「背景の山や木」などの情報を入れると情報過多になるだけでなく、「詳細」に書く情報がなくなってしまいます。

詳細

内容を前記の構成要素に当てはめると以下のとおりとなります。

On the left lie bare bushes and tall trees. The snowy peaks of a
⑥位置関係　　　　　　　　　　　　　⑦周辺の物／風景／人

mountain stand ahead of the hikers.
　　　　　　⑥位置関係

2 「位置に関するフレーズ」の使い分け

上記の「詳細」には on the left、ahead of と被写体の位置に関する 2 種類のフレーズが使われています。ahead of を使わずに、on the left と同じく前置詞句のフレーズの in the background を使い、The snowy peaks of a mountain stand in the background. とすることも可能です。ただし、「語彙・文法の多様性」の観点からすると多様な表現を使えるほうが望ましいので、ここでは副詞句の ahead of を使っています。これらのフレーズのリストに関しては p. 092 の Column をご覧ください。

なお、「概要」では位置に関するフレーズは原則的に不要です。主な被写体は、「目につきやすい」、「写真の中央にある（写真の端にはない）」ので、わざわざ in the middle ～ などと説明する必要がないのです。わずかな時間でも肝心の具体的な情報を書くことに使いましょう。

3 時制は主に「現在進行形」「現在形」

「現在進行形」は写真の中で被写体が明らかに動いている場合に使います。主に人間・動物の場合に使われ、この出題形式で最も使用頻度が高い時制です。

例　Four people wearing backpacks **are climbing** a steep mountain slope ～

「現在形」は人間・動物以外の動きのないものを描写する場合や、長い期間そのままの状態が続いていると思われる事物を描写する場合に使います。

例　On the left **lie** bare bushes and tall trees.

> **ポイント3**　時間切れを防止する

解答時間はたったの 1 分なので、時間配分を事前に決めておきましょう。以下がお勧めです。

最大 20 秒 写真の内容把握 ➡ 記載項目の特定 ➡「概要」の入力

残り 40 秒「詳細」の入力 ➡ スペルミスや文法間違いなどのチェック

英文作成に少し心得のあるレベルに達すると、書くことに集中するあまり「概要」に時間をかけがちですが、これは危険です。ポイント1のとおり、**「2 センテンス以上が望ましい」**にもかかわらず、1 センテンス目に時間をかけすぎて、**2 センテンス目の途中で時間切れ**になれば、採点上、マイナスになります。もし自信がない場合は、「概要」は多くても 10 ワード程度で終わらせるのが無難でしょう。

ポイント4　服装描写を「概要」に含めて時間を節約する

「特徴のある服装・外見」に関する描写を「概要」に含めてしまえば、「詳細」で別の内容を書く時間を確保することができます。

中級　Four people are hiking on a rocky trail. All of them are **wearing backpacks**.

＊2 センテンス書けますが、時間を使う割には内容的に「概要」止まりです。その分、「詳細」を書く時間が少なくなります。

上級　Four people **wearing backpacks** are climbing a steep mountain slope ～

＊「概要」を 1 センテンスで済ませ、2 センテンス目以降の「詳細」を書く時間が確保できます。

ポイント5　This is a picture of ～ などの定型フレーズは不要

写真描写はほかの英語試験でもしばしば出題され、その際には This is a picture of ～などの定型フレーズを使うことが推奨されます。DET でもテスト後半に出題される Speak About the Photo (Chapter 7) ではこの定型フレーズを使いますが、この **Write About the Photo ではお勧めしません。**「解答時間が 1 分と極端に短い」「書くのは話すのと比べて時間を要する」ので、わずか数秒であっても定型フレーズよりも肝心の写真描写に時間を使うのが得策です。「異なった問題には異なったストラテジー」を意識しましょう。

△ ~~This is a picture of~~ four people climbing a steep mountain slope.

> この 5 ワードを書く時間を具体的な描写に使おう！

ポイント6　主な被写体の近くから順に書く

「詳細」の内容は写真のタイプにより左右されますが、サンプル問題のように目立つポイントが主な被写体以外に複数ある場合、「何から書いたらいいか迷う」ことがあります。対応策の1つとして、**「主な被写体に近い → 遠い」の順で書く方法**があります。ただし、解答時間が足りない場合は、より重要と思われる部分を優先しましょう。

① Four people → ② bare bushes and tall trees
→ ③ snowy peaks of a mountain

ポイント7　There is 〜 以外の表現も使おう

This is a picture of 〜の定型フレーズ同様、写真描写問題ではしばしば There is [are] 〜のセンテンスを推奨されることがあります。サンプル問題の中級の答案例でも there are small trees 〜となっています。ただ、このフレーズだけに頼ってしまうと、この出題形式3問すべてにおいて There is [are] のフレーズを使い、採点上、文法の多様性が欠如していると見なされる可能性があります。また、**ライティング一般において There is [are] 〜 の多用は好まれない**という意見もあるので、別の書き方もできるようになることをお勧めします。サンプル問題の解答例を比べてみましょう。

中級　On the left, <u>there are</u> small trees that have no leaves.

↓

上級　On the left lie bare bushes and tall trees.

Tips　上級の例では「動詞（lie）＋主語（bare bushes and tall trees）」と倒置が使われていますが、難しければ、まずは基本的な〈主語＋動詞〉（この例で言えば Bare bushes and tall trees lie on the left. など）で書き始めるとよいでしょう。

「ここは断言するのが難しい」「たぶん〜ではないか」と思われる部分に関しては推測の表現を使うことも可能です。写真から想像されることなので、「正解」は存在しません。写真に存在しない物を描写したり、明確になっていない状況を断定したりすることは避けつつ、推測のフレーズを使いながら描写しましょう。主な被写体・場所などの判断が難しい写真では「概要」で使うこともありえますが、基本的には「詳細」で使います。

サンプル問題に関して言うと、Walking on this slope is **probably** very difficult. といった表現も可能です。そのほかの推測に関する表現に関しては p. 100 の Column をご覧ください。

1分以内に書き終えることが最優先ですが、上級レベルを目指す場合は、使う単語や文法など、表現にも気を遣いたいところです。以下に注意すべき項目を紹介します。

1 倒置の使用

前記のように上級の解答例では〈動詞＋主語〉の語順となる倒置が使われています。倒置が起こるパターンは複数ありますが、文頭に on the left のような前置詞句がくるのが一例です。**on the left (right) などの位置を示すフレーズを使うことは写真問題ではしばしばあり、倒置を使うチャンスです。**文法上は There is [are] 〜 も倒置ですが、〈前置詞句＋動詞＋主語〉と比べてどちらがより評価されるかを考えれば、答えは明らかでしょう。

2 中上級レベルの語句を混在させる

中級と上級のサンプル問題の解答例を見ながら使用単語を確認してみましょう。

中級　Four people are hiking on a **rocky** trail. All of them are wearing backpacks. On the left, there are **small trees that have no leaves**.

上級　Four people wearing backpacks are climbing a steep mountain slope covered with **rugged** stones. On the left lie **bare bushes** and tall trees. The snowy peaks of a mountain stand ahead of the hikers.

　類似した内容の文章でも上級では使用されている語彙のレベルが上がっています（例：中級の rocky が上級の rugged に、中級の small trees that have no leaves が上級の bare bushes に）。使われているのは登山のスナップ写真というカジュアルな媒体ですが、ライティング力をアピールするために少しでも使用語彙のレベルを上げましょう。

Tips☞　上級で使われている bare bushes は 2 語とも読んだり聞いたりする上ではやさしい単語ですが、これらを書いたり話したりするときに使えるかというと、話は別です。Write About the Photo の問題では「パッと思い浮かばない単語」を思い出すのに時間を浪費するのは望ましくないので、中級の small trees that have no leaves のように**簡単な言い回しを使う**のも 1 つの手です。

3 分詞の使用

　上級の解答例の「概要」では、現在分詞 wearing が使われ、wearing backpacks で「バックパックを背負っている」という意味の形容詞として直前の名詞 people を修飾しています。また、過去分詞 covered も同様に covered with rugged stones で「ごつごつした岩に覆われた」という意味の形容詞として名詞 slope を修飾しています。

　なお、現在分詞・過去分詞は、①分詞 1 語のみであれば名詞の**前**にくる、②分詞を含め 2 語以上の句になると名詞の**後ろ**にくる、というのが基本で、今回は 2 例とも②の使い方になっています。

Four people wearing backpacks are climbing a steep mountain
　　　名詞　　　　　現在分詞句

slope covered with rugged stones.
　名詞　　　　　過去分詞句

　一般的な〈形容詞＋名詞〉とは逆の〈名詞＋形容詞〉の語順となる修飾を使いこなすことは、採点項目の「さまざまな文法を使いこなせているか」に関する対策の 1 つになります。

Tips☞　**ライティングのキーボード操作**
　　　DET では通常のパソコンに備わっている「コピー」「ペースト」機能はないので、すべて自分で入力する必要があります。また、当然のことながらスペルチェック機能もないので、自分で確認しましょう。

実力養成問題 A

以下の問題を解いてみましょう。ここではヒントとして「書く項目」「各文の文頭」を示しています。カラー写真は巻頭 p. i を参照してください。

⏱ 解答時間 ▸ 各問 1 分

1

概要

● 主な被写体　● 被写体の配置　● 場所

Various pieces of _____.

詳細

● 3 つのいす

Three chairs _____.

● 前景

There are some _____.

2

概要

● 主な被写体 ● 被写体の動き ● 場所

A woman _____.

詳細

● 女性の細かな動き ● 行動に関する推測

She is _____.

3

概要

● 主な被写体 ● 被写体の状態 ● 場所

Two wide paths are _____.

詳細

● 周辺の風景

It features _____

_____.

Chapter 1
Chapter 2
Chapter 3
Chapter 4
Chapter 5
Chapter 6　Write About the Photo 攻略
Chapter 7

1

概要

● 主な被写体　● 被写体の配置　● 場所

Various pieces of garden furniture are closely arranged on a small patio.

> 解説　テーブルやいすが配置されている状況を説明しています。patio（中庭）という単語が出てこない場合は、簡単な yard などの単語で代用しましょう。

詳細

● 3 つのいす

Three chairs are surrounding a colorful round table.

> 解説　複数ある被写体から、写真の中央付近に見える丸テーブルといすを選び描写しています。

● 前景

There are some cushions on the ground next to the chair in the foreground.

> 解説　奥のほうにもいすが見えますが、ここでは時間の制約から前景を描写しています。

■ 全文

Various pieces of garden furniture are closely arranged on a small patio. Three chairs are surrounding a colorful round table. There are some cushions on the ground next to the chair in the foreground.

(34 ワード)

> 訳　小さな中庭にさまざまなガーデン家具が密集して置かれています。カラフルな丸テーブルの周りに 3 つのいすがあります。手前のいすの脇の地面にはいくつかのクッションがあります。

2

概要

● 主な被写体 ● 被写体の動き ● 場所

A woman with long hair is sitting in a hammock on a sandy beach with many palm trees.

> 解説 場所に関しては「ハンモック」「ビーチ」という特徴のある 2 つの点に言及しています。

詳細

● 女性の細かな動き ● 行動に関する推測

She is sitting up rather than reclining, so it is likely that she is about to get up.

> 解説 女性の動きに注目し、「体を起こして座っているので、立ち上がるのだろう」と推測しています。

■ 全文

A woman with long hair is sitting in a hammock on a sandy beach with many palm trees. She is sitting up rather than reclining, so it is likely that she is about to get up.

(36 ワード)

> 訳 ヤシの木がたくさんある砂浜で、長い髪の女性がハンモックに座っています。横たわるというよりも体を起こして座っているので、彼女は立ち上がるのでしょう。

3

概要

● 主な被写体 ● 被写体の状態 ● 場所

Two wide paths are intersecting in what appears to be a park.

> 解説 2 つの道の状態を are intersecting（交差している）と表現しています。場所に関しては what appears to be a park（公園らしき場所）と推測しています。

詳細

● 周辺の風景

It features an impressive concrete structure and a large amount of greenery, including some tall palm trees.

解説 印象的なコンクリートの建物 (structure) とヤシの木を含む緑 (greenery) に言及しています。

■ 全文

Two wide paths are intersecting in what appears to be a park. It features an impressive concrete structure and a large amount of greenery, including some tall palm trees.　(29 ワード)

訳 公園らしき場所で 2 本の広い道が交差しています。印象的なコンクリートの建物と高いヤシの木を含む多くの緑が特徴的です。

Column

　写真に関する問題の 2 形式 (Write/Speak About the Photo) で便利な、位置に関するフレーズを紹介します。

基本的な位置関係を表すフレーズ

「左・中央・右」を表すフレーズ

・ On the left (right), a man is playing the guitar.
・ In the middle, a woman is standing at a bus stop.

「前景・中央・背景」を表すフレーズ

・ In the foreground (middle/background), children are playing with a dog.

＊「遠くに」を表す場合は in the distance も使えます。

そのほかの位置関係を表すフレーズ

・ A boy is standing between his mother and father.
・ A man is walking toward(s) the building.
・ Several elderly people are sitting side by side.
・ They are standing behind a child.
・ Another woman is standing nearby.
・ A man in a suit is sitting across from a woman
・ An old building is standing next to a house.
・ A dog is sleeping beside the table.
・ A small group of people are walking along the street.

実力養成問題 B

以下の問題を解いてみましょう。今回は「書く項目」だけをヒントに挙げてあります。カラー写真は巻頭 p. ii を参照してください。

🕐 解答時間 ▸ 各問 1 分

1

概要

● 主な被写体　● 被写体の主な動き

_____.

詳細

● 男性の細かな動き

_____

_____.

2

概要

● 主な被写体　● 被写体の主な動き

_____.

- シャトルを運ぶ 2 隻の船

_____ .

- そばにある別の船

_____ .

3

- 主な被写体　● 被写体の主な動き　● 場所

_____ .

- 女性に関する追加の描写

_____

_____ .

解答例と解説

概要

● 主な被写体　● 被写体の主な動き

A man with sunglasses on his head is crouching down to inspect the large fruit of a plant.

> 解説　男性の頭上に見えるサングラスに触れつつ、is crouching（しゃがんでいる）と動作を描写しています。inspect（〜を調べる）も含め、アウトプットとしては上級レベルの語彙を使っています。

詳細

● 男性の細かな動き

He is resting his right hand on his knee and extending his left hand to touch the skin of the fruit.

> 解説　extend はアウトプットするには難易度の高い表現です。難しければ reaching out to touch 〜などで代用しましょう。

■ 全文

A man with sunglasses on his head is crouching down to inspect the large fruit of a plant. He is resting his right hand on his knee and extending his left hand to touch the skin of the fruit.　　　（39 ワード）

> 訳　頭にサングラスをかけた男性がしゃがみ込んで植物の大きな実を調べています。彼は右手を膝に置き、左手を伸ばして果物の皮に触れています。

2

● 主な被写体 ● 被写体の主な動き

A space shuttle is being transported on a barge by two boats.

> 解説 boats と書いた時点で水上であるとわかるので、場所の描写は省略しています。barge (はしけ、平底の荷船) という単語が思い浮かばない場合、flat boat など簡単な表現で代用しましょう。

詳細

● シャトルを運ぶ 2 隻の船

One boat is towing the shuttle while the second one is pushing it from behind.

> 解説 主な被写体であるシャトルの近くにある船の描写で始めています。while を使い 2 隻の船について 1 センテンスで描写しています。写真の被写体が 2 つ以上あることも多く、その場合このように while を使って「A が〜する一方、B は〜する」と対比することで、表現にアクセントをつけることができます。

● そばにある別の船

Another small boat is sailing off to the side of the barge.

> 解説 次に少し離れた場所を航行する小型船に言及しています。

■ 全文

A space shuttle is being transported on a barge by two boats. One boat is towing the shuttle while the second one is pushing it from behind. Another small boat is sailing off to the side of the barge.

(39 ワード)

> 訳 スペースシャトルがはしけで 2 隻の船によって運ばれています。1 隻の船がシャトルを牽引し、2 隻目の船が後ろからシャトルを押しています。別の小さな船がはしけの横を航行しています。

3

概要

● 主な被写体　● 被写体の主な動き　● 場所

A woman is sitting between two branches of a leafless tree that is extended over a body of water.

> **解説** a body of water（水域）とレベル高めの表現なので、難しければ the sea、a lake などで代用しましょう。

詳細

● 女性に関する追加の描写

She is looking out over the scene in front of her.

■ 全文

A woman is sitting between two branches of a leafless tree that is extended over a body of water. She is looking out over the scene in front of her.

(30 ワード)

> **訳** 水辺の上に伸びた葉のない木の 2 つの枝の間に女性が座っています。彼女は目の前の光景を眺めています。

Chapter 1
Chapter 2
Chapter 3
Chapter 4
Chapter 5
Chapter 6 Write About the Photo 攻略
Chapter 7

097

実践問題

最後に以下の問題を解いてみましょう。カラー写真は巻頭 p. ii を参照してください。

🕐 解答時間 ▸ 各問1分

1

2

3

解答例

Chapter 1
Chapter 2
Chapter 3
Chapter 4
Chapter 5
Chapter 6
Write About the Photo 攻略
Chapter 7

1

A man wearing sunglasses and a backpack is climbing a rocky surface. Since the man is not using any ropes, it seems that he is not very high up.

(29 ワード)

訳 サングラスをかけバックパックを背負った男性が岩肌を登っています。男性はロープを使っていないので、それほど高くない場所にいるようです。

2

A large number of cows are grazing in a pasture. The cows in the foreground are lying in the grass, while the majority of the cows in the rest of the photo are standing.

(34 ワード)

語句 graze 〔動〕〈家畜が〉草を食べる／pasture 〔名〕牧草地

訳 牧草地でたくさんの牛が草を食んでいます。手前の牛たちは草に寝そべっていますが、写真に写るほかの牛の大半は立っています。

3

A person is riding a bicycle on the right side of an empty country road that runs vertically straight through the middle of the photo. The rider's shadow is stretched across the width of the road. (36 ワード)

| 語句 | vertically 副 垂直に

| 訳 | 写真中央に縦にまっすぐ伸びる何もない田舎道の右側で、人が自転車に乗っています。自転車に乗っている人の影は、道路の幅いっぱいに広がっています。

Column

　写真に関する問題の 2 形式 (Write/Speak About the Photo) で便利な推測に関する表現を紹介します。

推測の表現
- I would guess that he is playing at a concert.
- I think they are sisters.
- The man will most likely cross the street.
- It is likely that the man has won an award.
- The boy appears to be happy.
- It seems that a teacher is talking to students.
- Maybe two children are having a lot of fun.
- There is another small boat which is probably monitoring the situation.
- Presumably the woman is taking a break at a cafeteria.
- Perhaps the costume was made by the boy.
- Judging from her big smile, she is enjoying having her photo taken.
- As far as I can tell [see], the factory is completely automated.
- It is possible she is just taking a picture.
- The child looks happy.
- It looks like they are posing for pictures.
- This photo may have been taken in a photo studio or during some event.

Speak About the Photo 攻略

出題形式

　画面に表示された1枚の写真を口頭で描写します。Write About the Photo（Chapter 6）のスピーキング版とも言える問題です。留学レベルのスコアを狙うのであれば、30秒以上は話したいところです。

0:53

Speak about the image below for 90 seconds.

"Speak about the image below for 90 seconds."
（下の画像について90秒話してください）

少数の例外を除き、カラー写真。サイズはかなり小さい

NEXT

解答を開始して30秒経過したあとは、 NEXT をクリックして次の問題に進むことが可能

- **1問あたりの準備時間** ｜ 20秒＊

　＊Write About the Photoと異なり、準備する時間があります。

- **1問あたりの解答時間** ｜ 30秒〜1分30秒

- **出題頻度** ｜ 1回のテストにつき1問

- **被写体** ｜ 人間が中心：80％程度／動物が中心：10％程度／事物や風景が中心：10％程度

　同じ写真問題である Write About the Photo と比較した場合、①準備時間が与えられる、②「話す」のは「書く」ほど時間を要さないことから、解答時間がタイトだという印象は軽減されます。その分、より多くの描写を望まれます。100 ワード程度話すことを目標にしましょう。文法的には平易な文で問題ありません。Write About the Photo と同じでよい部分と、異なる部分とを意識して取り組みましょう。

攻略のポイント

サンプル問題

　以下の問題を本試験と同じ解答時間で解いてみましょう。カラー写真は巻頭 p.iii を参照してください。

＊スピーキング関連の問題ではできる限り解答音声を録音し、自分の音声を確認するようにしましょう。

📋 準備時間 ▶ 20 秒　　🕐 解答時間 ▶ 30 秒〜1 分 30 秒

解答例

上級　　　　　　　　　　　　　　　　　　　　　　　　🔊 音声 ▶ 044

　① In this photo, I can see a man in a costume who is playing an acoustic guitar and a harmonica at the same time. ② His clown nose and a black pirate hat are quite striking. ③ The man is also wearing a white shirt with rolled up sleeves, a black vest, and black pants. ④ Looking down, the musician seems to be very focused on what he is doing. ⑤ I assume he's probably reading the score. ⑥ Behind him, there is fancy fabric hanging on a wall that gives this photo a particular look. ⑦ This photo may have been taken in a photo studio or during some event.　　　　(105 ワード)

語句 clown 图 ピエロ（カタカナ語のピエロはフランス語 *pierrot* に由来する語）

訳 この写真には、アコースティックギターとハーモニカを同時に演奏している、コスチュームを着た男性が写っています。ピエロの鼻と黒い海賊帽がかなり印象的です。男性はまた、袖をまくった白いシャツに黒いベストを着て、黒いズボンをはいています。このミュージシャンはうつむいて、自分がしていることにとても集中しているようです。たぶん楽譜を読んでいるのでしょう。背後の壁には派手な布がかけられていて、この写真に特別な印象を与えています。写真館か、何かのイベントの時に撮った写真かもしれません。

中級

♦ 音声 ▶ 045

In this photo, a man is playing a harmonica and a guitar at the same time. He is wearing a clown nose, a black hat, and a white shirt. He is also wearing black pants. He seems very serious. The player is looking down while playing the guitar. In the background, there is a unique wallpaper. He is probably performing for an audience at an event.

(66 ワード)

訳 この写真では、男性がハーモニカとギターを同時に演奏しています。彼はピエロの鼻、黒い帽子、白いシャツを身につけています。彼はまた、黒いズボンをはいています。とても真剣に見えます。演奏者はギターを弾きながら下を向いています。背景には、ユニークな壁紙があります。おそらく、イベントなどで観客を前に演奏しているのでしょう。

ポイント1 解答の基本構成

サンプル問題の解答例を見ながら基本的な構成を確認しましょう。

概要 主な被写体 → 被写体の主な動き・状態（楽器を演奏している）

① In this photo, I can see a man in a costume who is playing an acoustic guitar and a harmonica at the same time.

被写体の男性と楽器の演奏について述べ、1センテンスで全体像を描写しています。

詳細 服装 → 細かな動き（集中している／楽譜を読んでいる）→ 背景 → 場所

② His clown nose and a black pirate hat are quite striking.

　外見に特徴があるので、まずは「ピエロ風の鼻・帽子」に触れます。clown nose、pirate hat が思いつかない場合、別の平易な言葉で表現しましょう。今回は red nose、black hat などが可能です。

③ The man is also wearing a white shirt with rolled up sleeves, a black vest, and black pants.

　服装の特徴をつけ加えています。

④ Looking down, the musician **seems** to be very focused on what he is doing. ⑤ I **assume** he's probably reading the score.

　seem や assume といった動詞を使って推測を交え、動きの内容を掘り下げています。

⑥ Behind him, there is fancy fabric hanging on a wall that gives this photo a particular look.

　位置関係のフレーズ（Behind him）を使って背景を描写します。

⑦ This photo **may have been taken** in a photo studio or during some event.

　締めくくりとして、may have ＋ 過去分詞の推測表現を使い、撮影場所を描写します。

＊太字が推測のフレーズです。その他の推測の表現に関しては p. 100 の Column をご覧ください。

ポイント2　準備時間で「話す要点」を決める

　20秒の準備時間があるとはいえ、その時間で解答すべてを頭の中で組み立てるのは不可能です。ここでできる準備と言えば、「話す要点（単語／フレーズ）」を決めることであり、「準備時間：要点を考える → 解答時間：要点をもとに解答を話す」という流れが現実的です。ただし、**準備時間中でも声を出すことは許されている**ので、余裕のある場合は単語／フレーズを口に出して事前に口慣らしをしましょう。

準備時間で思いつく要点の例

概要 被写体 a man		主な動き play the(a) guitar、harmonica
詳細 服装 clown nose、pirate hat		細かな動き read the score
背景 fancy fabric		場所 photo studio、event

ポイント3　流暢さとは「早口」ではなく「止まらないこと」

　採点基準に「fluency（流暢さ）」がありますが、無理に速いペースで話す必要はありません。サンプル問題の解答例の音声のとおり、落ち着いたペースで話しましょう。肝心なのは Ah … などと解答が止まってしまわないことです。また、同じことを繰り返さないのも重要。これに関しては、慌てる人ほど陥ってしまいがちなので要注意です。そうならないためにも、準備時間の使い方が重要になります。

「流暢さ」vs.「文法・語彙」の重要性

　採点上は2項目とも重要とされており、どちらも実現できれば理想的ですが、実際にはこの問題における重要度には差があります。Write About the Photo との比較も交えると重要度は以下のとおりです。

流暢さ（＝止まらないこと）＞ 文法・語彙のレベル

　一般的に**「話し言葉」のほうが「書き言葉」よりも平易**ですが、この傾向はこの出題形式にも共通しています。「上級レベルの文法・語彙を使うことを意識して解答が遅くなるより、高度ではない文法・語彙で解答が止まらないこと」を優先するべきです。

ポイント4　解答の語数を増やすコツ

　語数の目安としては 100 ワード程度話すことを目標にしましょう。Write About the Photo と Speak About the Photo では同じように写真が使われ、解答の基本構成も似ていますが、解答の語数は Speak About the Photo のほうが3倍ほど多くなります。この2形式のサンプル問題の解答例を比較しながら、語数を増やすポイントを見てみましょう。

ライティング (Write About the Photo)

概要 Four people <u>wearing backpacks</u> are climbing a steep mountain slope covered with rugged stones. 詳細 On the left lie bare bushes and tall trees. The snowy peaks of a mountain stand ahead of the hikers.

(34 ワード)

スピーキング (Speak About the Photo)

概要 In this photo, I can see a man <u>in a costume</u> who is playing an acoustic guitar and a harmonica at the same time. 詳細 ① <u>His clown nose and a black pirate hat are quite striking.</u> The man is also wearing a white shirt with rolled up sleeves, a black vest, and black pants. ② Looking down, the musician seems to be very focused on what he is doing. I assume he's probably reading the score. Behind him, there is fancy fabric hanging on a wall that gives this photo a particular look. ③ This photo may have been taken in a photo studio or during some event.

(105 ワード)

　「概要」の展開は 2 形式間に大差はなく、異なるのは「詳細」です。以下で見てみましょう。

① **服装・外見の情報**　両形式ともに「概要」で wearing backpacks、in a costume として最低限の外見的な描写をしていますが、スピーキングではさらに 2 センテンス追加しています。被写体に顕著な特徴がある場合に可能な方法です。

② **被写体の細かな動き**　ライティングでは「概要」で触れているだけですが、スピーキングではこの点も 2 センテンス追加しています。時間的な余裕から、推測を交えて解答しているのもスピーキングの特徴です。

③ **場所の情報**　「全体のまとめ」として撮影場所に関する情報を追加しています。この内容を「概要」に持ってくることも可能です。

ポイント5　**必要な文法・語彙のレベルを知ろう**

　サンプル問題の解答例（上級）を見ながら、どのくらいのレベルの文法や語彙を使って解答したらよいか確認しましょう。

概要 In this photo, I can see a man in a costume who is playing an acoustic guitar and a harmonica at the same time.

詳細 His clown nose and a black pirate hat are quite striking. The man is also wearing a white shirt with rolled up sleeves, a black vest, and black pants. **Looking down**, the musician seems to be very focused on what he is doing. I assume he's probably reading the score. Behind him, there is fancy fabric hanging on a wall that gives this photo a particular look. This photo may have been taken in a photo studio or during some event.

1 大部分は文法的に平易な文で占められている

解答例では「概要」の I can see a man 〜（主語＋動詞＋目的語）の文をはじめ、基本的な文が多く、上級レベルの文は Looking down から始まる分詞構文を使ったもののみです。これは現在分詞（looking）を使った分詞構文で、Looking down の意味上の主語は直後の the musician です。Looking down（うつむいて）が the musician 〜の文を補足しています。

2 被写体をさまざまな言い回しで表現する

写真問題では繰り返し被写体に言及することになりますが、それをさまざまな言い回しで表現することで「語彙の多様性」を示すことができます。

サンプル問題の解答例

a man → his 〜 → the man → the musician
同じ被写体をさまざまな言い回しで表現する

写真から職業・属性が推測できるのであれば、例えば「a young man → he → the student」などと言い換えることが可能です。

3 出だしの定型フレーズは 1 つ覚えれば十分

書くよりも時間を要さないので、サンプル問題の解答例では In this photo, I can see 〜 と定型フレーズが使われています。同種のフレーズはほかにも This is a picture of 〜（これは〜の写真です）、This photograph shows 〜（この写真には〜が写っています）などがありますが、覚えるのは**どれか 1 つ**にしましょう。**複数のフレーズを覚えても Speak About the Photo は 1 問しか出題されないので、2 つ以上披露する機会がありません**。特定のフレーズが口をついて出るようにし、集中力を肝心の描写にあてましょう。

なお、定型フレーズを使うことに慣れていない方は、使わなくても問題ありません。以降の実力養成問題の解答例では定型フレーズあり・なし両方のパターンを紹介しています。

4 There is [are] 〜の使用は回数を抑えながら

Write About the Photo の「ポイント 7 There is 〜 以外の表現も使おう」（p. 085）では「ライティング一般において There is [are] 〜 の多用は好まれない」と述べましたが、スピーキングでは、このセンテンスの使用も問題ありません（サンプル問題の解答例でも 1 回使用しています）。ただし、「文法の多様性」「語彙の多様性」の観点から、多くても 2、3 回までに留めましょう。

実力養成問題 A

　以下の問題を解いてみましょう。ここではヒントとして「話す項目」「各文の文頭」を示しています。まずは口頭で解答し、次に内容確認を兼ねて空欄に書き込んでください。カラー写真は巻頭 p. iii を参照してください。

📋 **準備時間** ▶ 各問 20 秒　　⏱ **解答時間** ▶ 各問 30 秒〜1 分 30 秒

1

概要
● 主な被写体　● 被写体の主な動き　● 場所

A woman is _____.

詳細
● 女性の外見的特徴

She is wearing _____.

● 客の細かな動き

The customer is about to _____

_____.

● 背景の描写

As far as I can tell, there are _____

_____.

● 写真撮影のタイミング

There are empty wine glasses on the table, so _____

_____.

2

概要

● 主な被写体　● 場所

This is a photo of a _____ .

詳細

● 家の大きさ　● 人けのなさ

It is probably a vacation home because it is _____

_____ .

● 家の外観 (3 点)

I can see its _____ .

On the covered part of the terrace, there _____ .

The house is raised _____ .

● 気候に関する推測

Based on the appearance of the bushes surrounding the home,

I _____

_____ .

1

概要

● 主な被写体　● 被写体の主な動き　● 場所

A woman is having a meal in the outdoor seating area of a restaurant.

詳細

● 女性の外見的特徴

She is wearing a pair of sunglasses on top of her head.

> 解説　ここでは特徴としてサングラスに触れています。

● 客の細かな動き

The customer is about to take a sip from a small mug which most likely contains tea because there is a teapot on the table, in the bottom right corner of the photo.

> 解説　A woman、She、そしてここでは The customer と言葉を換えています。また、most likely を使って推測を交えながらテーブルの上の状況を説明しています。

Tips🖝 the bottom right corner（右下隅）と、Write About the Photo より細かな位置の表現を使っています。このように描写する物が四隅に近い場合は the top right [left] corner（右上 [左上] 隅）、または the bottom right [left] corner（右下 [左下] 隅）のように言うことができます。

● 背景の描写

As far as I can tell, there are no other guests dining at the restaurant. The tables and chairs behind her are all empty.

> 解説　As far as I can tell（私のわかる範囲では）と、ここでも推測を交えながら、今度は背景を説明し、ほかの客がいない点や座席について触れています。dining at the restaurant は前の名詞 guests を後ろから修飾しています。

● 写真撮影のタイミング

There are empty wine glasses on the table, so <u>the photo may have been taken around lunchtime or in the afternoon.</u>

> **解説** テーブルの上の食器の状態から、写真が撮られた時間に言及しています。

■ 全文

A woman is having a meal in the outdoor seating area of a restaurant. She is wearing a pair of sunglasses on top of her head. The customer is about to take a sip from a small mug which most likely contains tea because there is a teapot on the table, in the bottom right corner of the photo. As far as I can tell, there are no other guests dining at the restaurant. The tables and chairs behind her are all empty. There are empty wine glasses on the table, so the photo may have been taken around lunchtime or in the afternoon.

(104 ワード)

> **語句** take a sip 熟 ひと口すする

> **訳** 女性がレストランの屋外席で食事をしています。彼女は頭の上にサングラスをかけています。写真の右下隅のテーブルの上にティーポットがあるので、その客は、おそらくお茶が入っているであろう小さなマグカップからひと口飲もうとしています。私のわかる範囲では、このレストランで食事をしているほかの客はいません。彼女の後ろのテーブルといすはすべて空いています。テーブルの上には空のワイングラスが置かれているので、写真は昼食時か午後に撮影されたものかもしれません。

 2

概要

● 主な被写体　● 場所

This is a photo of a <u>house surrounded by nature.</u>

> **解説** 家は動きを伴わないので場所の描写がなされています。

詳細

● 家の大きさ　● 人けのなさ

It is probably a vacation home because it is <u>relatively small and it appears to be in an area where few people live.</u>

vacation home と推測する理由を人けが少ない場所である点を引き合いに出して説明しています。

● 家の外観 (3 点)
- I can see its sloping roof and three rectangular windows.
- On the covered part of the terrace, there appear to be some chairs and a table.

写真上ではやや小さいので、appear (～に見える) を使用しています。

- The house is raised up off the ground, perhaps because it is built on a slope.

家としては珍しい、地面から引き上げられている点に言及しています。

● 気候に関する推測
Based on the appearance of the bushes surrounding the home, I think it is located in an area with a dry climate.

周辺の低木から乾燥地帯であると推察しています。

■ 全文

This is a photo of a house surrounded by nature. It is probably a vacation home because it is relatively small and it appears to be in an area where few people live. I can see its sloping roof and three rectangular windows. On the covered part of the terrace, there appear to be some chairs and a table. The house is raised up off the ground, perhaps because it is built on a slope. Based on the appearance of the bushes surrounding the home, I think it is located in an area with a dry climate.

(97 ワード)

語句 surround 動 ～を取り囲む／ rectangular 形 長方形の

訳 これは自然に囲まれた家の写真です。比較的小さく、人がほとんど住んでいない地域にあるように見えるので、おそらく別荘でしょう。傾斜した屋根と 3 つの長方形の窓が見えます。屋根のあるテラスには、いくつかのいすとテーブルがあるようです。傾斜地に建っているためか、その家は地面より高い位置にあります。家の周りの茂みの様子から、乾燥した気候の地域にあると思います。

実力養成問題 B

　以下の問題を解いてみましょう。今回は「話す項目」だけをヒントに挙げてあります。まずは口頭で解答し、次に内容確認を兼ねて空欄に書き込んでください。カラー写真は巻頭 p. iii を参照してください。

📋 準備時間 ▶ 各問 20 秒　　🕐 解答時間 ▶ 各問 30 秒～1 分 30 秒

概要

● 主な被写体　● 被写体の主な動き　● 場所

_____ .

詳細

● 人物が横断している場所

_____ .

● 天気に関する推測

_____ .

● 人物が見ている方向の推測

_____ .

● 前景の描写

_____ .

● 背景の描写

_____ .

2

概要

● 主な被写体　● 被写体の主な動き　● 場所

_____ .

● 犬の細かな動き

_____ .

● 犬の行動に関する推測 1

_____ .

● 犬の行動に関する推測 2

_____ .

● 背景の描写

_____ .

Chapter 1
Chapter 2
Chapter 3
Chapter 4
Chapter 5
Chapter 6
Chapter 7
Speak About the Photo 攻略

解答例と解説

1

概要

● 主な被写体　● 被写体の主な動き　● 場所

In this photo, I can see a person taking a walk in a park.

> 解説　概要なので主な被写体の主な動きである「歩いている」までを描写しています。

詳細

● 人物が横断している場所

The person is crossing a small bridge over a pond.

> 解説　動きに関する少し細かい描写として crossing を使い、橋を渡っているところを描写しています。

● 天気に関する推測

Presumably, it is raining because the visitor is holding an umbrella and the sky appears to be overcast.

> 解説　はっきりとは雨と断定できないので、Presumably（たぶん）を使い推測しています。

● 人物が見ている方向の推測

It seems that the person is looking to their right, perhaps enjoying the view of the pond.

> 解説　写真のサイズから性別が不明なのでここでは his や her ではなく their としています。to one's right [left] は「写真の被写体から見て右 [左]」となる表現で、写真を見ている人にとっては左右が逆になるので混乱しないように注意しましょう。ただし、文法の多様性からすると使いこなせることが望ましい表現です。

● 前景の描写

There are some neatly trimmed bushes in the foreground of the picture, which leads me to believe that this is a well-maintained park.

● 背景の描写

In the back of the photo, I can see that there are many tall trees.

■ 全文

In this photo, I can see a person taking a walk in a park. The person is crossing a small bridge over a pond. Presumably, it is raining because the visitor is holding an umbrella and the sky appears to be overcast. It seems that the person is looking to their right, perhaps enjoying the view of the pond. There are some neatly trimmed bushes in the foreground of the picture, which leads me to believe that this is a well-maintained park. In the back of the photo, I can see that there are many tall trees.

(97 ワード)

語句 overcast 形 曇った／ trim 動 〜を刈り込む

訳 この写真では、公園を散歩している人が見えます。その人は池にかかる小さな橋を渡っています。傘をさしており、空が曇っているように見えることから、おそらく雨が降っているのでしょう。その人は右手を向いているようで、たぶん池の眺めを楽しんでいるのでしょう。写真の手前にはきれいに手入れされた茂みがあることから、よく整備された公園なのだと思います。写真の奥には背の高い木がたくさんあるのが見えます。

2

概要

● 主な被写体　● 被写体の主な動き　● 場所

A dog is lying with the back half of its body on a concrete path and the front half in a flowerbed.

- 犬の細かな動き

Its body is leaning over the brick edging of the flowerbed.

> **解説** 犬の体が花壇の edging（縁 [へり]）の上にかかっているという細かな描写をしています。

- 犬の行動に関する推測 1

Maybe the dog is trying to hunt a small animal such as a bird because it appears to be very focused on the area to the right of the photo.

> **解説** 1つ目の推測として Maybe で始め、「鳥など小さな動物を追っているのでは」としています。

- 犬の行動に関する推測 2

It is also possible that the dog is just thinking about digging a hole in the flowerbed.

> **解説** 2つ目の推測は、It is also possible を使い、「穴を掘ることを考えている」と述べています。

- 背景の描写

There are some colorful flowers around its head and a wooden fence in the back of the photo.

> **解説** 犬に関してひととおり描写したので、最後に犬のそばにある花、木の柵に言及しています。

■ 全文

A dog is lying with the back half of its body on a concrete path and the front half in a flowerbed. Its body is leaning over the brick edging of the flowerbed. Maybe the dog is trying to hunt a small animal such as a bird because it appears to be very focused on the area to the right of the photo. It is also possible that the dog is just thinking about digging a hole in the flowerbed. There are some colorful flowers around its head and a wooden fence in the back of the photo.

(98 ワード)

> **訳** 犬が、体の後ろ半分をコンクリートの道に、前半分を花壇の中に置いて寝ています。体は花壇のレンガの縁に寄りかかっています。写真の右側に集中しているように見えるので、鳥などの小動物を追おうとしているのかもしれません。また、犬は単に花壇に穴を掘ろうと考えている可能性もあります。その頭の周りには色とりどりの花、写真の奥には木の柵が写っています。

実践問題

最後に以下の問題を解いてみましょう。カラー写真は巻頭 p. iv を参照してください。

📋 準備時間 ▶ 20 秒　　🕐 解答時間 ▶ 30 秒〜1 分 30 秒

解答例

音声 ▶ 050

A man is pushing a cart full of clothes on a beach. He is walking right along the shoreline. The cart might be some kind of modified bicycle, since it appears to only have two wheels. He is probably a vendor selling clothes. As far as I can see, all of the items are short-sleeved, and they appear to be made of a light material. Therefore, it is probably summer or a place where the weather is warm. The fact that the man is wearing shorts supports this assumption.　　(89 ワード)

語句　modify 動 〜を改造する／assumption 名 推測

訳　1 人の男性が、服を満載した荷車を浜辺で押しています。彼は海岸線に沿って歩いています。車輪が 2 つしかないように見えるので、この荷車は自転車を改造したものかもしれません。彼はおそらく、衣服を売る行商人なのでしょう。私が見る限り、すべての商品は半袖で、軽い素材でできているように見えます。したがって、おそらく夏か、気候が暖かいところなのでしょう。男性が短パンをはいていることも、この推測を裏付けています。

Read, Then Write 攻略

出題形式

数センテンスで提示される質問を読んで（Read）解答を書く（Write）形式で、テスト全体で合計 2 問あるエッセイ形式の問題のうち、最初に出題される問題です。

📋 **準備時間 ▸ 30 秒**
質問文のみ表示される

🕒 **解答時間 ▸ 5 分**
右側に記入欄が表示される

記入欄

残り時間にも注意！

解答中、誤って NEXT をクリックしないように！

- **準備時間** ｜ 30 秒
- **解答時間** ｜ 5 分（3 分経過の時点で次の問題に進むことが可能だが、時間を使い切るのがお勧め）
- **出題頻度** ｜ 1 回のテストにつき 1 回

解答時の心構え

　ほかの英語テストでも見かけるエッセイ形式の問題ですが、解答時間が 5 分という短さはかなり特殊です。この短時間で完成した内容にするには、一般的な英文エッセイの書き方を「踏襲する・しない」部分を意識する必要があります。準備時間終了後も「何を書くか？」のプランニングを続けることは可能ですが、時間の短さを考えれば早めに書き始めることが望まれます。

攻略のポイント

サンプル問題

以下の問題を本試験と同じ準備時間・解答時間で解いてみましょう。

準備時間 ▶ 30 秒　　解答時間 ▶ 5 分

Agree or disagree? People of younger generations have a higher quality of life than people of older generations had at the same age.

解答例

上級　①Today's younger generations have a lower quality of life in many ways. ② **First**, many young people, including those from middle-class families, are burdened by student debt. ③ Repaying loans after graduation can take many years, leaving little money for other expenses. ④ **In addition,** younger generations of even the most prosperous countries have been disproportionately affected by stagnant economies. ⑤ **Even when** unemployment rates are low, younger workers often struggle to secure the steady pay increases that previous generations took for granted.

(79 ワード、太字は持続表現)

語句　burden 動 ～を悩ませる／ debt 名 借金／ prosperous 形 裕福な／ disproportionately 副 不釣り合いに／ stagnant 形 停滞した／ take ～ for granted 熟 ～を当然のことと思う

訳　**(質問)** 賛成ですか、反対ですか？ 若い世代の人は、古い世代の人が同じ年齢であったときよりも生活の質が高い。
(解答例) 今日の若い世代は、さまざまな意味で生活の質が低下しています。第一に、中流家庭を含む多くの若者が、学生時代の借金を背負っています。卒業後のローン返済には何年もかかるため、ほかの支出に回すお金はほとんどありません。さらに、最も豊かな国でさえも、若い世代は経済の停滞から不釣り合いな影響を受けています。失業率が低くても、若い労働者は、前の世代が当たり前に得ていた安定した給与の上昇を確保するのに苦労することが多いのです。

中級　Young people's lives are harder in many ways. Even some from middle-class families have large student debt. They spend many years repaying loans after finishing school, and they have less money for other things. Also, young people in rich countries face difficult times because of slow economies. It is difficult for young workers to get the regular pay raises that the older generations used to have.

(66 ワード)

(解答例) 若者の生活はさまざまな意味でより大変です。中流家庭の一部の人たちでさえ、多額の学生時代の借金を抱えています。学校を卒業してから何年もローンの返済に追われ、ほかのことに使えるお金も少なくなってしまいます。また、豊かな国の若者は、経済の低迷によって困難な状況に直面しています。若い労働者が、かつての上の世代のような定期的な昇給を得ることは難しいのです。

頻出の質問タイプ

Read, Then Write で出題される質問は一般的な英語テストのエッセイ問題と共通していますが、出題頻度が比較的高いものは以下のタイプです。

1 「自由回答」タイプ

Describe 〜／ Talk about 〜／ What is (are) 〜？ などの文で、特定の選択肢は示されません。自分で解答すべき点を探し出すタイプです。

例 What do you think is the most significant difference between art and other forms of communication?

アートとほかのコミュニケーションの形態との最も大きな違いは何だと思いますか？

2 「2つの選択肢」タイプ

Do you think A or B? 〜／ Agree or disagree? 〜 など、2つの選択肢から選び解答するタイプです。

例 Agree or disagree? People of younger generations have a higher quality of life than people of older generations had at the same age.

賛成ですか、反対ですか？ 若い世代の人は、古い世代の人が同じ年齢であった時よりも生活の質が高い。

一般的なエッセイとの構成の違いを意識する

5分という短時間で作成する DET のエッセイには、数十分をかけるエッセイとは異なる点が多々あります。以下を確認しましょう。

パラグラフ分けは原則不要、1パラグラフにすべて入れる

一般的な英文エッセイでは、例えば「意見」→「理由1（＋詳細）」→「理由2（＋詳細）」→「結論（意見の言い直し）」と、それぞれパラグラフを分けるのが一般的な構成です。今回のサンプル問題を一般的な英文エッセイのパラグラフ構成（4パラグラフとした場合）に当てはめた場合と、DET のパラグラフ構成にした場合とを比べてみましょう。

Chapter 8 Read, Then Write 攻略

Chapter 9

Chapter 10

Chapter 11

Chapter 12

Chapter 13

Chapter 14

一般的なエッセイのパラグラフ構成

意見
若い世代は古い世代より
生活の質が劣る

理由1
長期の学生ローン返済が必要+詳細

理由2
経済停滞により賃金上昇が困難+詳細

結論 (意見の言い直し)
ゆえに若い世代は古い世代より生活の質が劣る

DET のエッセイのパラグラフ構成

意見
若い世代は古い世代より
生活の質が劣る

理由1
長期の学生ローン返済が必要+詳細

理由2
経済停滞により賃金上昇が困難+詳細

　数百ワードを使って説明する従来のエッセイではパラグラフ分けが必須となり、これにしたがわないと減点されるケースもあります。しかし、80 ワード程度の DET では 1 パラグラフにまとめても採点上、不利になることはありませんので、本書ではこの方法を取っています (気になる方は段落を作ってもかまいません)。また、解答時間が短いこともあり、**「意見」の言い直しにすぎない「結論」は不要**です。「結論」に時間を使うより理由の記述を増やすことをお勧めします。

Tips 🖙 　本書では「理由」は1つ、または2つで構成しています。3つにするとそれぞれの内容が薄くなるリスクがあるためです。ただし、2つ目を書いている際、「これ以上書き続ける内容が思い浮かばない」場合は3つ目の「理由」を書いてください。

＊「理由」の部分は解答内容により、「方法」「側面」などがくることもあります。

解答例の各センテンスについて、ポイント2で示した「意見」「理由」、また「詳細」としての役割を意識しながら見てみましょう。

■ 意見

① Today's younger generations have a lower quality of life in many ways.

（趣旨：今日の若い世代の生活の質は多くの点で落ちている）

役割　質問に対する意見を明確にするセンテンスです。通常、エッセイではこのセンテンスの前に「質問に関する背景」を説明するセンテンスを入れることもありますが、DETでは解答時間が短いため不要です。長さは原則1センテンス、長くても2センテンスに抑えましょう。ここではまだ「理由」は入れないようにします。

Tips☞　I agree/disagree with 〜、I think/believe 〜 を使わない書き方も
サンプル問題のような質問に対して、解答を I disagree with the idea that 〜 などで始めるスタイルもよくありますが、①解答時間が短い、②ライティングはスピーキングより時間を要する、といった点から本書ではこれらを使用しないスタイルも採用しています。このようなスタイルもライティングとして存在し、DET でも採点上マイナスの影響はありません。気になる方は I agree/disagree that 〜、I agree/disagree with 〜 や、I think/believe 〜 で始めても問題ありません。I agree で始まる解答例も後に登場します。

■ 理由

1　② First, many young people, including those from middle-class families, are burdened by student debt.

（趣旨：学生時代の借金に苦しむ）

2　④ In addition, younger generations of even the most prosperous countries have been disproportionately affected by stagnant economies.

（趣旨：経済の停滞から影響を受ける）

役割　「意見」をサポートするための「エッセイの核」とも言える重要なセンテンスです。この解答例では、「理由」1つにつき1センテンスです。解答時間の短さを考慮し、この程度の長さとしておきましょう。

■ 詳細

1　③ Repaying loans after graduation can take many years, leaving little money for other expenses.

（趣旨：返済に長年かかり、その結果、ほかの目的に使うお金が少ない）

2 ⑤ Even when unemployment rates are low, younger workers often struggle to secure the steady pay increases that previous generations took for granted.

（趣旨：前の世代が当然とした給与上昇の確保に苦労する）

役割　「理由」で述べた内容をさらに説明するセンテンスです。数百やそれ以上のワード数の一般的なエッセイではここが一番ボリュームの多い部分ですが、Read, Then Write で「理由」が 2 つの場合、「詳細」は 1 つの「理由」につき 1、2 センテンスで十分です。ただし、理由が 1 つの場合は必然的にセンテンスを増やす必要性が出てきます。

ポイント 4　解答全体のプロセスと時間配分を意識する

解答時間が 5 分と短いので、解答全体のプロセスと時間配分を意識することが重要です。

1 準備時間（30 秒）

Step 1　**質問文の内容を把握**

Agree or disagree? People of younger generations have a higher quality of life than people of older generations had at the same age.

　質問文の「**quality of life（生活の質）**」がキーワードです。生活の質の捉え方は幅広く、身体・精神的な健康や、生活における快適さなど、多岐にわたります。

Step 2　**意見を決める**

　質問文は Agree or disagree? と聞いているので、いずれかのポジションを決めます。それぞれ以下のような案がありうるでしょう。

agree　　　　理由1　医療の進化により健康の維持が容易

　　　　　　　理由2　テクノロジーの進化により娯楽が豊富

　　　　　　→　医療技術・テクノロジーなどによる快適さに重点を置いた意見

disagree　　理由1　長期の学生ローン返済が必要

　　　　　　　理由2　経済停滞により給与上昇が困難

　　　　　　　→「生活の質」に関するポイントの中でも金銭的な苦境に重点を置いた意見

＊「いずれの選択肢でも理由が 1 つしか思い浮かばない」場合、よりたくさん書けそうなほうを選びましょう。

Tips 🖙 「本心に基づいた内容」よりも「英語で書けそうな内容」を優先

　　　　自分の本心に基づいて書いているかどうかは採点の対象にはなりません。「英語でよりたくさん書けるかどうか?」を判断基準にして意見を選択しましょう。つまり、日本語で思い

ついても「英語でどう書くかわからないアイデア」は放棄するほうがよい、ということになります。また、「内容のユニークさ」は採点の対象ではありません。準備時間が短いので、この点を意識して時間を使うことがないように注意しましょう。話の理由として筋が通っていれば「ありきたり」と思われるものでもかまいません。

Step 3 シンプルなアウトラインを決める

　数百ワードあるエッセイ用のアウトライン作成では数分使うことができ、そのためのメモ取りも可能ですが、DET ではメモ取りはできません。エッセイそのものは短く、準備時間も 30 秒とかなり短いため、アウトラインもシンプルなキーワード程度のものを頭の中で考えるのが現実的な対応です。

アウトライン用のキーワード

意見 (disagree) lower quality of life

理由1 student debt ／ 詳細 repaying loans take many years

理由2 stagnant* economies ／ 詳細 struggle to secure pay increases

* 上級単語なので、slow など簡単な単語で取り急ぎアウトラインを作り、エッセイ作成の時点で stagnant とレベルを上げる方法もあります。

　以下の解答例のように、アウトラインのキーワードをもとにして、各センテンスを書いていきます。

意見 Today's younger generations have a **lower quality of life** in many ways. 理由1 First, many young people, including those from middle-class families, are burdened by **student debt**. 詳細 **Repaying loans** after graduation can **take many years**, leaving little money for other expenses. 理由2 In addition, younger generations of even the most prosperous countries have been disproportionately affected by **stagnant economies**. 詳細 Even when unemployment rates are low, younger workers often **struggle to secure** the steady **pay increases** that previous generations took for granted.

Tips 準備時間中に思いついたアウトラインを「解答時間中に書いている間に忘れてしまうかも」と気になる方は、解答時間になった時点で画面の記入欄にアウトラインやキーワードをひととおり記入し、そこに追記しながらエッセイを完成させる方法もあります。

2 解答時間 (5 分)

Step 1 エッセイ作成 (約 4 分 30 秒)

　「意見」、「理由1＋詳細」までを 2 分 30 秒程度で、「理由2＋詳細」を後半 2 分程度で書きます。

Step 2　見直し（20 ～ 30 秒）

時間がタイトですが、スペル、動詞の単複の一致など基本的な要素は確認しましょう。

主語と動詞の単複の一致　「理由1」の people と are のように、離れている主語と動詞
　　　　　　　　　　　　　の単複の一致を忘れないようにしましょう。

スペルチェック　prosperous、disproportionately など、文字数の多い単語のつづり
　　　　　　　　にミスがないか、要注意です。

> **ポイント 5**　「重複内容の回避」「質問で聞かれていることに答える」を意識する

特に「詳細」を書く際は「『理由』と同じ（類似）点を繰り返していないか」「内容が
質問に答えているか」を意識しましょう。前者に当てはまる場合、書いた語数が多くて
もよい評価には結びつきません。後者は採点基準の「解答と質問との関連性（task
relevance）」に影響します。

サンプル問題の解答例の内容を簡略化すると以下のとおりです。

理由1　借金を負う　→　**詳細**　長年の返済＆ほかに使うお金の減少
理由2　経済の停滞　→　**詳細**　給与上昇が困難

どちらの「詳細」もそれぞれの「理由」の説明となっており、「若い世代の人は、古い世
代の人が同じ年齢であった時よりも生活の質が高いか？」という質問の答えに関連する内
容になっています。また、同じ内容の繰り返しにはなっていません。

■ 同じ内容を繰り返している例

理由1 First, many young people, including those from middle-class
families, are burdened by student debt. **詳細** These young people
take out loans despite their young age and often end up facing
financial challenges.

> 訳　第一に、中流家庭を含む多くの若者が、学生時代の借金を背負っています。これらの若者は若いに
> 　　もかかわらず、ローンを組み、しばしば経済的な問題に直面することになっています。

第 1 センテンス、第 2 センテンスともに、「若者はローンを組み、経済的な困難に直面
する」という趣旨で、それぞれ表現は異なるものの、実質的に同じ内容の繰り返しになっ
ています。

理由2 In addition, younger generations of even the most prosperous countries have been disproportionately affected by stagnant economies. 詳細 <u>During economic downturns, companies should protect their young employees by maintaining their current salary levels.</u>

> 訳　さらに、最も豊かな国でさえも、若い世代は経済の停滞から不釣り合いな影響を受けています。景気低迷の間、企業は現在の給与のレベルを維持することで、若い従業員を守るべきです。

→「解答と質問との関連性」がマイナス評価に

　質問は「賛成ですか、反対ですか？　若い世代の人は、古い世代の人が同じ年齢であった時よりも生活の質が高い」なので、ここで重要なのは「自分なりに事実かどうか判断する」ことで、"〜すべき"という「提言」ではありません。「事実認定」を問われている問題に対し、第2センテンスのように主観的な should という言葉が入るのは適切ではありません。短い解答時間内に英語で慌てて書くとこういった「脱線」がしばしば起こりえますので（無論、自分では気づきません）、論理展開に要注意です。

練習問題1　　以下は質問とそれに対する答案です。ただし、「理由1」「理由2」の「詳細」（下線部）は、(A) 同じ内容を繰り返している、(B) 内容が質問に答えていないのいずれかの理由により修正が必要です。よりよい内容に書き直し、修正の根拠 (A)(B) のいずれかに○をつけてください。

🕐 解答時間 ▶ 2分

質問　Museums are visited by many people, including tourists, children, students, and community residents. What do you think are some reasons that people visit museums?

答案　意見 People can have a variety of reasons for going to museums. 理由1 First and foremost, museums attract visitors who have an interest in art, history, or simply learning more about the world around them. **1** 詳細 <u>Visitors go to museums because they are interested in a wide range of subjects, including art or history.</u> 理由2 Additionally, by offering interactive activities or workshops, museums can serve as a source of entertainment. **2** 詳細 <u>Museums spend weeks or months preparing for these activities or workshops and play a vital role in promoting education.</u>

1 下線部修正案

_____

_____

修正の根拠 (A) 同じ内容を繰り返している　(B) 内容が質問に答えていない

2 下線部修正案

_____

_____

_____

修正の根拠 (A) 同じ内容を繰り返している　(B) 内容が質問に答えていない

練習問題1 解答例

1 The carefully selected collections of artifacts that museums house educate a wide range of visitors, including ordinary citizens and academic researchers.

　答案では「理由1」とその「詳細」ともに「人が博物館に行くのは芸術や歴史に興味があるから」という点で重複しています。

修正の根拠　(A)

2 Visitors can derive pleasure from these events and enjoy the overall atmosphere of a museum with their friends or family

　「理由2」の「博物館は娯楽の役割を果たす」に対し、その「詳細」は「博物館が費やす準備期間と博物館が果たす教育の促進」を述べ、「娯楽」とは別の内容になっており、質問に答えていません。

修正の根拠　(B)

全文（修正後） People can have a variety of reasons for going to museums. First and foremost, museums attract visitors who have an interest in art, history, or simply learning more about

the world around them. The carefully selected collections
of artifacts that museums house educate a wide range of
visitors, including ordinary citizens and academic researchers.
Additionally, by offering interactive activities or workshops,
museums can serve as a source of entertainment. Visitors
can derive pleasure from these events and enjoy the overall
atmosphere of a museum with their friends or family.

> 訳　**（質問）** 博物館は観光客や子ども、学生、地元住民など多くの人が訪れます。人々が博物館を訪れる理由は何だと思いますか?
>
> **（解答例）** 人々が博物館に行く理由はさまざまです。まず第一に、博物館は美術や歴史に興味を持つ人、あるいは単に自分の周りの世界についてもっと知りたいと思う人を惹きつけます。博物館が所蔵する厳選された工芸品のコレクションは、一般市民や学術研究者など、幅広い層の来館者を教育します。さらに、双方向型のアクティビティやワークショップを提供することで、博物館は娯楽の源としての役割を果たすことができます。来館者はこうしたイベントから喜びを感じ、友人や家族と博物館全体の雰囲気を楽しむことができます。
>
> 語句　artifact 图 芸術品、工芸品／house 動 〜を収納する／derive 動 〜を得る

ポイント6　センテンス間の「つながり・流れ」を意識する

1 接続表現の活用

　英語ではそれぞれのセンテンスの間に流れを作るため、linking word、transition
word とも言われる「接続表現」が使われます。サンプル問題の解答例での、First、In
addition、Even when、練習問題1 での First and foremost、Additionally などがこ
れにあたります。「2 センテンスの間に必ず入れる」とまで意識すると多すぎますが、80
ワード程度であれば2、3個は使うのが自然でしょう。p.142 の Column に主な接続表
現のリストがありますので、参考にしてください。

練習問題2　以下は質問とそれに対する解答例です。かっこ内の接続表現から、最も自
然な表現に〇をつけてください。

⏱ 解答時間 ▸ 1分30秒

質問　What do you think is the most significant difference between
　　　art and other forms of communication?

解答例　意見 The most significant difference between art and other
　　　forms of communication is that there is no right or wrong
　　　way to interpret a piece of art. 理由1 Art is open to a variety of
　　　interpretations. 詳細 For instance, 1 (although / when / even
　　　if / because) a person sends a spoken or written message to

130

someone, this individual is intending for them＊to understand it in a specific way. 理由2 Art can **2**（ finally / also / initially / especially ）have an intended message, **3**（ and / but / so / or ）there is no guarantee that the artist's intended message is the message that the viewer of the art will receive. 詳細 **4**（ In fact / Instead / Finally / On the other hand ）, this aspect of art is a beneficial feature of artistic expression.

＊同じセンテンス内の someone を置き換えた代名詞ですが、性別を特定していないので them としています。

語句 significant 形 重要な／ interpret 動 ～を解釈する／
be open to ～ 形 ～を受け入れる

練習問題 2 解答

1 when **2** also **3** but **4** In fact

訳 **（質問）**アートとほかのコミュニケーションの形態との最も大きな違いは何だと思いますか？
（解答例）アートとほかのコミュニケーション形態との最も大きな違いは、アート作品の解釈には正解や間違いがないことです。アートはさまざまな解釈をすることができます。 例えば、ある人が誰かに話し言葉や書き言葉でメッセージを送るとき（**when**）、その人は特定の方法でそれを理解してもらうことを意図しています。アートもまた（**also**）意図されたメッセージを持ちえますが（**but**）、アーティストの意図したメッセージが、アートを見る人が受け取るメッセージであるという保証はないのです。実は（**In fact**）、アートのこの側面は芸術表現の利点でもあるのです。

2 指示代名詞・指示形容詞の活用

前記のとおり、接続表現は重要な役割を担うものの、使いすぎるとやや不自然になる可能性もあります。その際には **this、these などの指示代名詞や指示形容詞（＋名詞[句]）**を含んだ表現を使うと、前のセンテンスとのつながりを示すことができます。ほかの接続表現に比べるとあまり目立ちませんが、意識的に使うと表現の幅が広がります。

パターン1 指示代名詞 this：前のセンテンス**全体**を意味する

Art can also have an intended message, but there is no guarantee that the artist's intended message is the message that the viewer of the art will receive. In fact, **this** is a beneficial feature of artistic expression.

いちばん一般的な用法です。この場合の this は前のセンテンス全体を意味し、「**これが**芸術表現の利点であり～」と前のセンテンスから話をつないでいます。

指示形容詞 this ＋名詞（句）：前のセンテンス**全体**を意味する

Art can also have an intended message, but there is no guarantee that the artist's intended message is the message that the viewer of the art will receive. In fact, **this aspect of art** is a beneficial feature of artistic expression.

第1センテンスはパターン1と同じ文です。このパターン2では第2センテンスの this のあとに **aspect of art** と名詞句がついています。意味もパターン1の第2センテンスと同じで、前のセンテンス**全体**の内容を **this aspect of art** に置き換えています。パターン1の連続を避けたい場合に使いましょう。

英文1センテンスに含まれるワード数は、一般的には15～20ワード程度*がよい、とされています。このくらいであれば読み手にとって理解が困難にならない長さとも言えます。

DET ではパラグラフ全体の語数を意識するので精一杯でしょうから、センテンス単位の長さに関してはふだんの学習の時点で意識しましょう。

＊これは1つの目安として意識してください。実際に文章を書く際にはこれより短い、あるいは長い文も当然混在します。

Tips📖 **1センテンス中の語数を増やすには？**
　　　　Read and Complete (Chapter 2) で紹介した接続詞を使う方法があります。等位接続詞（and、but、so など）もありますが、より高度な**従属接続詞**（while、since、because、if など）を使いこなし、複文にすることを意識しましょう。従属接続詞も「ポイント6 センテンス間の『つながり・流れ』を意識する」で述べた接続表現の一種です。

練習問題3　以下の4つの問題にはそれぞれ2つのセンテンスがあります。指定された従属接続詞を使って書き直してください。

🕐 **解答時間 ▸ 各問1分**

1 while
Older generations enjoyed less complicated lives without the pressures of social media. Younger generations have access to an immense amount of information and opportunities.

132

2 because

Social media platforms have been subject to increased scrutiny.
The spread of misinformation can have serious consequences for society.

---

3 if

Governments fail to take decisive action on climate change.
The world may experience more frequent and severe natural disasters.

---

4 when

People travel to new places. They broaden their perspectives and learn about other cultures.

練習問題 3　解答例

1 Older generations enjoyed less complicated lives without the pressures of social media, **while** younger generations have access to an immense amount of information and opportunities.

> 語句　complicated 形 複雑な／ immense 形 莫大な

> 訳　古い世代はソーシャルメディアのプレッシャーのない、今ほど複雑でない生活を享受しましたが、かたや若い世代は膨大な量の情報と機会を手に入れられます。

2 Social media platforms have been subject to increased scrutiny **because** the spread of misinformation can have serious consequences for society.

> 語句　subject 形 （承認などを）受ける／ scrutiny 名 綿密な調査

> 訳　誤った情報の拡散が社会に対して深刻な結果をもたらす可能性があるため、ソーシャルメディアのプラットフォームはもっと綿密な調査を受けています。

3 If governments fail to take decisive action on climate change, the world may experience more frequent and severe natural disasters.

> 語句　decisive 形 決然とした／ severe 形 猛烈な

> 訳　もし政府が気候変動について決然とした行動を取らなければ、世界はさらに頻繁に、より深刻な自然災害に見舞われるかもしれません。

4 When people travel to new places, they broaden their perspectives and learn about other cultures.

> 訳　新しい土地に旅するとき、人は視野を広げ、ほかの文化について学びます。

ポイント8　文法のレベルを上げる

　採点項目の1つでもある「さまざまな文法を使いこなせているか（grammatical complexity）」を意識し、スコアを上げる方法を見てみましょう。ポイント7で紹介した従属接続詞も一例ですが、ほかにも以下のものがあります。

1 分詞構文の活用

現在分詞を使う場合

Repaying loans after graduation can take many years, **leaving** little money for other expenses.　　　　　　（サンプル問題の解答例［上級］より）

　現在分詞 leaving を含む句の意味上の主語は Repaying loans です。このように文と句の主語が共通している場合は分詞構文を使うことが可能です。

過去分詞を使う場合

Written by a best-selling author, the book offers valuable insights into human behavior and emotions.

> 語句　insight 名 洞察

> 訳　ベストセラー作家によって書かれたその本は、人間の行動と感情への貴重な洞察を与えてくれます。

　この場合も過去分詞 Written の意味上の主語は the book（前半の句の元の文は The book was written by a best-selling author）。やはり句と文の主語が共通しているので分詞構文が使えます。

■ 間違った分詞構文の例

　（×）Repaying loans after graduation can take many years, **having** little money for other expenses.

Chapter 8 Read, Then Write 攻略

Chapter 9

Chapter 10

Chapter 11

Chapter 12

Chapter 13

Chapter 14

　文の主語は「卒業後にローンを返済すること」という"行動"で、"人"ではありません。現在分詞 having を含む句の意味上の主語としては不自然です。

（×）**Written** with elegance and sophistication, the author offers valuable insights into human behavior and emotions.

　Written の意味上の主語は the book（前半の句の元の文は The book was written with elegance and sophistication）なので、文の主語である the author とは一致しません。

2 無生物主語の活用

　サンプル問題のように質問のテーマが「人間（今回は若者）」に関わる場合、当然のことながら解答でも Young people 〜などと人を主語にすることが多くなります。また、日本語は人を主語にした表現が多いため、よりこの傾向が強くなる可能性があります。ただ、すべて人を主語にした文にしてしまうと全体として単調な文章になりかねません。この点を改善するために英語で頻繁に登場する**「無生物主語」という人間以外の主語**を活用しましょう。練習問題 1 のセンテンスを使って説明すると以下のとおりになります。

「人」を主語としたセンテンス（書き直し前）

Visitors go to museums because they are interested in a wide range of subjects, including art or history.

「人以外」を主語とした場合（書き直し後）

The carefully selected collections of artifacts that museums house educate a wide range of visitors, including ordinary citizens and academic researchers.

　「博物館が所蔵する厳選された工芸品のコレクション」という名詞句が主語になっています。

以下の３つのセンテンスについて、主語を「人」から「無生物」に変えて書き直してください。

🕐 解答時間 ▸ 各問 1 分

1 Leaders who promote gender equality help create a more diverse work environment.

_____

2 People who appreciate different cultures develop a broader worldview.

_____

3 Teachers who use technology in the classroom improve student engagement.

_____

練習問題 4 　解答例

1 Promoting gender equality helps create a more diverse work environment.

> 語句 diverse 形 多様な

> 訳 ジェンダーの平等を促進すると、より多様な労働環境を生み出す助けになります。

2 Appreciation of different cultures develops a broader worldview.

> 訳 さまざまな文化を理解すると、世界観がより広がります。

3 The use of technology in the classroom improves student engagement.

> 訳 教室でテクノロジーを利用すると、学生が授業により関わるようになります。

ポイント9　「語彙のレベル・多様性」を上げる

Write About the Photo (Chapter 6) と同様に、採点基準である「語彙のレベル・多様性」を意識しましょう。サンプル問題の解答例では以下のように反映されています。

語彙レベル (なるべく上級レベルの単語を使う)

burdened (← loaded) by student debt
負担を負わされている

prosperous (← rich) countries
裕福な

disproportionately (← unevenly) affected
不均衡に

stagnant (← slow) economies
停滞した

語彙の多様性 (同じ単語の繰り返しを避ける)

サンプル問題の質問文	解答例
people of younger generations →	young people、younger workers
older generations →	previous generations

意識しすぎて書くスピードが落ちてしまうことは避けてください。スピードが落ちない程度に注意しましょう。

　以下の２問を解いてみましょう。内容を思いつかない方は「ヒント」を参考にしてください。

📋 準備時間 ▸ 各問 30 秒　　⏱ 解答時間 ▸ 各問 5 分

1 Agree or disagree? People's experiences can be different based on where they grow up.

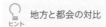 地方と都会の対比

2 Do you think that education is a right, meaning that everyone should have equal access to it? Or do you think that education is a privilege or something to be earned or paid for?

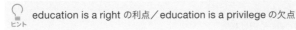 education is a right の利点／education is a privilege の欠点

解答例と解説

1　意見 The environment in which individuals grow up is a critical factor in shaping their experiences. 理由 This is particularly evident **when it comes to** opportunities for education. 詳細 **For example**, living in an urban area can result in a very different set of circumstances than living in a rural area. Prestigious schools and preparatory programs are more likely to be found in urban areas. **In contrast**, small populations and limited financial resources in rural areas can make it challenging to attract qualified teachers and offer a varied selection of courses.

（88 ワード、太字は接続表現）

語句　evident 形 明らかな／ when it comes to 熟 （話が）〜ということになると／ urban 形 都会の／ rural 形 （都会に対して）田舎の／ prestigious 形 名声のある／ preparatory 形 準備の／ challenging 形 困難だがやりがいのある／ qualified 形 資格のある、適任の／ varied 形 さまざまな

訳　**(質問)** 賛成ですか、反対ですか？ 人の経験は、育った場所によって異なることがある。
(解答例) 個人が育つ環境は、その人の経験を形成する上で重要な要素です。これは、教育の機会に関して特に顕著です。例えば、都市部に住むのと地方に住むのとでは、全く異なる状況が生じます。名門校や進学塾は、都市部にあることが多いでしょう。一方、地方では人口が少なく、財源も限られているため、有能な教師を集め、多様なコースを提供することは困難です。

解説　ヒントで示したとおり、地方と都会を対比させながら、教育の機会 (opportunities for education) を中心に内容を展開しています。「理由」は 1 つのみなので、出だしに First などは使われていません。最終センテンスでは接続表現である In contrast を使っています。また、質問では People's experiences 〜となってはいますが、「ポイント 8 文法のレベルを上げる」で扱った「無生物主語」が多用されている点にも注意しましょう。

2 意見 Access to education is a fundamental human right. 理由1 **First,** the right to education has been defined as such in a number of international conventions. 詳細 In order to provide every citizen with equally accessible education, it needs to be provided free of charge and without regard to a person's socioeconomic status, gender, or ethnicity. 理由2 **Second, if** education became a privilege, it would be almost impossible for people from humble backgrounds to break the cycle of poverty. 詳細 These persistent systemic inequalities would deepen the social divide and impede social growth.

(88 ワード、太字は接続表現)

> 語句　as such 句 それとして／ convention 名 条約、協定／ accessible 形 利用できる／
> regard 名 配慮、注意／ socioeconomic 形 社会経済的な／ ethnicity 名 民族性／
> privilege 名 特権／ humble 形 (身分などが) 低い／ poverty 名 貧困／
> persistent 形 いつまでも続く／ impede 動 ～を妨げる

> 訳　**(質問)** 教育は権利であり、誰もが平等に教育を受けられるべきだと思いますか？ それとも、教育は特権であり、獲得したりお金を払うものだと思いますか？
>
> **(解答例)** 教育へのアクセスは基本的人権です。まず第一に、教育への権利はいくつかの国際条約でそのように定義されています。すべての国民が平等に教育を受けられるようにするためには、社会経済的地位、性別、民族に関係なく、無料で提供される必要があります。第二に、もし教育が特権となるなら、貧しい育ちの人々が貧困の連鎖を断ち切ることはほとんど不可能になります。このような制度的不平等が続くと、社会的格差が深まり、社会の成長を阻害することになります。

> 解説　「意見」では fundamental human right (基本的人権) を用いて、教育が権利であるという立場が示されています。「理由2」の if education became a privilege ～ からは、ヒントで示したとおり、education is a privilege の欠点を指摘しています。このセンテンスは従属接続詞の if を使った仮定法過去になっている点も要チェックです。最終センテンスで指示形容詞 These を使う用法は「ポイント6 センテンス間の『つながり・流れ』を意識する」で学習した点です。

Tips 👉 **仮定法の使用**

現在の話でも、「可能性が低い (現在の事実とは違う)」場合、if 節の動詞、主節の助動詞が過去形になり、「If ＋主語＋**動詞の過去形**, 主語＋**助動詞の過去形**＋動詞の原形 (If education **became** a privilege, it **would** be ～)」となります。今回の内容は「可能性が**高い**」と判断し、if education **becomes** a privilege, it **will** be ～ としても問題ありません。今回のように、質問文が「A か B か?」「反対か賛成か?」と2つの選択肢を提示する場合、**「自分の選ばない選択肢の欠点」を指摘する方法**が使えます。その際に仮定法を使える可能性があり、採点基準の「さまざまな文法を使いこなせているか (grammatical complexity)」における効果が期待できます。

実践問題

最後に以下の問題を解いてみましょう。

📋 **準備時間** ▶ 30 秒　　🕐 **解答時間** ▶ 5 分

Passion and careers are often linked together, meaning that people should be passionate about their work. Do you agree or disagree with this point of view? Explain your position.

Chapter 9
Chapter 10
Chapter 11
Chapter 12
Chapter 13
Chapter 14

I agree that, when possible, people should try to find a career that is connected to their passion. **First**, people are more likely to invest time and effort into their jobs **if** they are passionate about their work. This gives them a competitive advantage and makes them more likely to excel. **Additionally**, passion for something is infectious. **When** someone is very enthusiastic about a certain topic, the people around them tend to get more interested and excited. A passionate person is more likely to be surrounded by hard-working people who like and appreciate them. 　　　　　(94 ワード、太字は接続表現)

＊最終センテンスの A passionate person の性別が不明のため、最後の単語が him や her ではなく them になっています。

語句 competitive 形 競争の、競争的な／ excel 動 優れる／ infectious 形 人にうつりやすい／ enthusiastic 形 熱心な

訳 **(質問)** 情熱とキャリアはしばしばつながっており、人は自身の仕事に情熱を持たなければならない。この観点に賛成ですか、反対ですか？　あなたの考えを説明してください。

(解答例) 私は、可能な限り、人は自分の情熱と結びついたキャリアを見つけるよう努めるべきだと思います。まず、自分の仕事に情熱を持っていれば、人は自分の仕事に時間と労力を費やす可能性が高くなります。その結果、競争で優位に立ち、より優れた成果を上げることができるのです。さらに、何かに対する情熱は伝染するものです。ある人がある話題にとても熱中していると、その周りの人たちもより興味を持ち、興奮する傾向があります。情熱的な人は、自分のことを好きで高く評価してくれる、勤勉な人たちに囲まれる可能性が高くなります。

Column

主な接続表現

順序	first(ly) / first and foremost / to begin with / second(ly) / finally / lastly
追加	in addition / additionally / furthermore / moreover / also
例示	for example / for instance / to illustrate
対比	in (by) contrast / on the other hand / however / nevertheless / yet / while* / whereas* / although* / even though*
原因	because* / since* / as*
結果	as a result / consequently / as a consequence / therefore / accordingly / thus / for this reason
類似	likewise / similarly
強調	in fact / indeed / clearly / certainly
条件	if* / even if* / even when* / as long as* / unless*
時	when* / while* / before* / after* / until* / since* / by the time*
結論	in summary / in conclusion / to summarize / to sum up

＊は従属接続詞。

Listen, Then Speak 攻略

出題形式

　数センテンスで**音声のみ（文章の画面表示はなし）**で出題される問題に話して解答する形式です。エッセイライティング形式問題（Read, Then Write、Writing Sample）のスピーキング版と言えます。

画面表示と同時に音声が1回再生される

1:26

"Speak about the topic for 90 seconds."
（90秒でトピックについて話してください）

Speak about the topic for 90 seconds.

2、3回目は任意でアイコンをクリック

残りの音声再生可能回数が表示される

Number of replays left: 2

You can continue after 30 seconds

解答時間開始30秒後に NEXT が表示される。次の問題へ進むことも可

- **1問あたりの準備時間** | 20秒（質問文の音声再生時間を含む。音声の途中でも20秒経過後に解答時間が開始）

- **1問あたりの解答時間** | 1分30秒（30秒経過の時点で次の問題に進むことが可能だが、時間を使い切るのがお勧め）

- **出題頻度** | 1回のテストにつき2回（1回ではないので要注意）

- **質問文の音声再生回数** | 3回（1回目は前の問題から画面が切り替わると同時に自動再生。2、3回目は任意）

　意見を述べる 3 つのスピーキング問題のうち、最初に出題される問題です。話している相手の反応が見えず、コンピューターに向かって話すという特殊な環境なので、イメージとしては「スピーキング」というよりは「スピーチ」に近い状況です。内容に関しては特殊な専門知識や分野に特化した問題は出ませんが、人によっては「こんなことは考えたこともなかった」と感じる事柄に関して問われることもあります。また、即答性が問われます。

攻略のポイント

サンプル問題

　以下の問題を本試験と同じ準備時間・解答時間で解いてみましょう。音声を再生し、質問に対する解答を述べてください。

📋 準備時間 ▶ 20 秒（20 秒経過の時点で、途中でも音声再生を中断*）　🕐 解答時間 ▶ 1 分 30 秒

＊ DET では音声の途中でも 20 秒経過後に解答時間が始まります。それと同じ環境で解答するためです。

質問と解答例

🔊 音声 ▶ 051

Creativity can help us solve problems and innovate. What are some ways that creativity can be developed in a person?

> 訳　創造性は、問題解決やイノベーションを起こすのに役立ちます。創造性が人の中で育つには、どのような方法がありますか？

🔊 音声 ▶ 052

上級　意見 There are many ways to make a person more creative. 方法1 An often overlooked but effective method is exercise. 詳細 This might sound surprising, **but** research shows that **when** your heartbeat increases, more blood flows into your brain, which means that it receives more oxygen. Exercise **also** promotes connections between brain cells and the growth of new brain cells. These two factors improve brain function and help stimulate creativity. 方法2 **Another** way to develop creativity is to collaborate with others in the same or different fields or industries. 詳細 **For example**, some professional musicians work with artists of different genres to create new songs. Being exposed to different kinds of music opens their minds, brings

Chapter 8

Chapter 9

Listen, Then Speak 攻略

Chapter 10

Chapter 11

Chapter 12

Chapter 13

Chapter 14

in new ideas, and stimulates their creativity. Such interactions often bring about creative works that are better than what one person could produce alone. 方法3 **Finally**, brainstorming ideas with others can **also** prove beneficial. 詳細 Exchanging as many ideas as possible without criticism is the key to this process. The more often you do this, the better you become at seeing things from other people's points of view, which is a valuable skill for doing creative work.

(186 ワード、太字は接続表現)

語句 creativity 名 創造性／overlook 動 ～を見落とす／cell 名 細胞／factor 名 要因／
function 名 機能／stimulate 動 ～を刺激する／collaborate 動 協力する／
genre 名 ジャンル（発音は " ジャンラ " に近い）／
expose 動 〈人〉を（新しい思想などに）触れさせる／interaction 名 相互作用／
brainstorm 動 ～をブレーンストーミングにかける／criticism 名 批判／view 名 視点

訳 人をより創造的にする方法はたくさんあります。見落とされがちですが、効果的な方法は運動です。意外に聞こえるかもしれませんが、研究によると、心拍数が上がると、より多くの血液が脳に流れ込み、脳はより多くの酸素を得ます。また、運動は脳細胞間の結合を促進し、新しい脳細胞の成長を促します。この 2 つの要素が脳の機能を向上させ、創造性を刺激するのに役立つのです。創造性を高めるもう 1 つの方法は、同じ分野や異業種の人たちと協力することです。例えば、プロのミュージシャンの中には、異なるジャンルのアーティストと協力して新曲を作る人がいます。異なるジャンルの音楽に触れることで、心が開かれ、新しい発想が生まれ、創造性が刺激されます。このような相互作用は、一人で作るよりも優れた作品を生み出すことが多いのです。最後に、ほかの人と一緒にアイデアを出し合うことも効果的です。批判することなく、できるだけ多くのアイデアを交換することがこのプロセスには重要です。これを頻繁に行うほど、ほかの人の観点から物事を見ることがより上手になり、創造的な仕事をする上で貴重なスキルとなります。

🔊 音声 ▶ 053

中級 There are many ways to make a person more creative. First, exercise can make you more creative. This might sound surprising, but it's true. When you exercise, your heart pumps more blood and oxygen to your brain. This helps new brain cells grow and make more connections, which can improve your creativity. Another way to become creative is to work with other people. Imagine musicians from different genres making a song together. Different ideas can inspire new thoughts and make your creativity grow. Lastly, there's also an important technique known as brainstorming. This is when a group of people exchange many ideas without judgment. Doing this more often

can help you understand other people's views better, which is
really useful for creative work.

(123 ワード)

> **訳** 人をより創造的にする方法はたくさんあります。まず、運動はあなたをより創造的にします。意
> 外に聞こえるかもしれませんが、これは本当です。運動をすると、心臓から脳により多くの血液
> と酸素が送られます。これにより、新しい脳細胞が成長し、より多くの結合を作ることができ、
> 創造性が向上します。創造力を高めるもうひとつの方法は、ほかの人と一緒に仕事をすることで
> す。異なるジャンルのミュージシャンが一緒に曲を作ることを想像してみてください。異なるアイ
> デアが新しい考えを刺激し、あなたの創造性を促進させます。最後に、ブレーンストーミングと
> いう重要なテクニックもあります。これは、判断することなくグループ内で多くのアイデアを出し
> 合うことです。これを頻繁に行うことで、ほかの人の視点をよりよく理解することができ、創造
> 的な仕事にとても役立ちます。

ポイント1　突然の音声再生に注意を

　Listen and Type と同様、前の問題から Listen, Then Speak の問題画面に切り替
わると同時に音声が再生されます（自分の意思でアイコンをクリックして再生できるのは
2、3 回目です）。不意を突かれて 1 回目の音声を聞き逃すと、短い準備時間（20 秒）で
はかなりの痛手です。出題される可能性の高いテスト後半で音声再生アイコンが目に入っ
たら、意識をリスニングモードに切り替えましょう。この出題形式は 2 問出題されますが、
連続してではなく、大抵は間に別の問題が出題されます。

　質問文で難しい単語が使用されることはあまり多くありません。聞いた内容に 1 回だ
けでは確信が持てない場合は繰り返し聞いてもよいですが、理解に確信を持てたら繰り
返し聞くよりは、アウトラインを考えることに注力するのをお勧めします。

ポイント2　頻出の質問タイプ

出題頻度が比較的高いものは以下のタイプになります。

1 「自由回答」タイプ

　Describe ～／ Talk about ～／ What is (are) ～？ などの文で、特定の選択肢は示
されません。自分で解答すべき点を探し出すタイプです。

> **例** Creativity can help us solve problems and innovate. What are
> some ways that creativity can be developed in a person?
>
> 創造性は、問題解決やイノベーションを起こすのに役立ちます。創造性が人の中で育つには、どのよう
> な方法がありますか？

2 「2 つの選択肢」タイプ

Do you think A or B ?〜／Agree or disagree?〜など 2 つの選択肢から選び解答するタイプです。

例 **Do you think high schools should require their students to perform one year of community service? Why or why not?**
高校は生徒に 1 年間の社会奉仕活動を義務づけるべきだと思いますか？　その理由は何ですか？

ポイント 3 ┃ 解答の基本構成

1 基本形

技能としては別ですがライティング問題の Read, Then Write 同様、構成はシンプルです。サンプル問題の解答例の構成は以下のとおりです。

> 意見 → 方法 1 ＋ 詳細 → 方法 2 ＋ 詳細 → 方法 3 ＋ 詳細

＊「方法」の部分は Chapter 8、p.123 で示した Read, Then Write の基本構成と同様「理由」がくることもあります。

サンプル問題の場合、上記の構成に基づいたキーワードとして以下が考えられるでしょう。これらをもとに、p.144 のように解答します。

アウトライン用のキーワード

意見 many ways

方法 1 exercise → 詳細 blood / brain / connections / growth

方法 2 collaborate* → 詳細 (musicians) new ideas

方法 3 brainstorming → 詳細 other people's points of view

＊ Read, Then Write のサンプル問題でキーワードを考えた際と同様 (p.126)、この時点では例えば「方法 2」で work with others と簡単な表現で準備し、解答時点で collaborate と表現のレベルを上げる方法もあります。

Tips **解答で述べる理由・方法・側面の数**

「創造性を発達させる方法は何か？」に対する解答として、上記のアウトラインでは 3 つの方法を挙げています。質問が **What are 〜** と**複数**を要求しているからですが、数に関しては厳密な決まりはありません。「詳細」で時間を要するライティングに比べれば、スピーキングは早いペースで解答が進む可能性が高いので、今回は Read, Then Write の「理由」よりも多くしています。1 つのみしか思いつかない場合はその 1 つで解答することになりますが、その分、「詳細」を多く語る必要があります。

　サンプル問題の質問は「創造性を養う**複数の方法**は?」なので、アウトラインは必然的に複数の「方法」を列挙することになりますが、「**1つのテーマ**（物・出来事・経験・人物）を説明しなさい」といった質問の場合、この1つのテーマを**複数の「側面」(数の多さは任意)** に分けて解答することになります。以下の問題を見てみましょう。

質問

Describe a holiday you have recently celebrated.

あなたが最近祝った祝日について述べてください。

　質問には**1つの祝日**（a holiday）しか言及がありませんが、解答時には以下のような複数の「側面」に分割して解答します。

アウトライン

意見 クリスマス

側面1 家の飾りつけなどの準備

側面2 家族との食事

側面3 プレゼント交換

Tips☞ 「本心に基づいた内容」よりも「英語で話せそうな内容」を優先

解答する内容に関しては Read, Then Write と同様、「自分の英語力で表現できそうなもの」「より多く説明できそうなもの」を優先しましょう（「内容のユニークさ」は採点対象ではありません）。また、「自分の直観的な判断・好み」のみで判断すると、これら2点を実現できない可能性があるので要注意です。なお、内容の真偽は採点上問われないので、極端でなければ内容を創作する、知人・家族の話を流用することも可能です。準備時間の20秒には、質問文の音声再生時間を含むので、音声を1回聞いた時点では実質15秒程度しか残りません。よって、準備時間ではキーワード・短めのフレーズを思いつくのが現実的な対応となります。

ポイント4 **話すスピードと量**

1 スピードの目安

　1分につき120ワード程度のスピードで話すことを意識しましょう。これはサンプル問題の解答例と同じ程度のスピードですが、早口の印象にはならない「落ち着いたテンポ」です。

Chapter 8
Chapter 9
Listen, Then Speak 攻略
Chapter 10
Chapter 11
Chapter 12
Chapter 13
Chapter 14

2 解答が止まらない流暢さ

Read, Then Write の注意点でもあった「同じ内容を繰り返さない」「質問で聞かれていることから脱線しない」（p.127）と同時に、Speak About the Photo 同様、「解答が止まらない」ことが重要になります。語彙・文法レベルも採点対象なので両立させるのが理想ですが、難しい場合、スピーキング問題では「流暢さ」を優先しましょう。ただ、これは「解答を止めない」ことを意味し、「早口とは別」である点が重要です。

3 焦るときほど「落ち着いて話す」ことが重要

実質 15 秒程度の準備時間では前記のシンプルなアウトラインが限界、つまり当然のことながら準備時間では解答をすべて作成するのは不可能です。したがって以降に続くほかのスピーキング問題も含め、「話しながら解答を作る」作業は避けられません。そして、ここで気をつけたいのが「自信がないときほど落ち着いて話す」ことです。

慌てて話すと速く話すあまり、「次の言葉」が思い浮かばないまま発話が終了し、結果、沈黙してしまうことになります。一方、落ち着いて話すと、ペースがゆっくりなので、話しながら「次にどんな言葉を話し、センテンスを完成させるか」を考えながら話す余裕が生まれます。「落ち着いたペース」と「止まらない」を両立させることは可能です。

なお、発音も採点項目のうちの１つなので、Read Aloud の「攻略のポイント」で学習した項目にも改めて目を通しておきましょう。

4 最大のマイナス要素、「沈黙」を避けるためのフレーズ

解答時に最も避けたいのは「沈黙」です。これは加点のしようがなく、その部分に関しては解答内容がゼロと評価されてしまいます。対応策として、スピーキングにおける filler（つなぎの言葉）と言われる沈黙を避けるフレーズを使う方法があります。多用は望ましくなく、決して積極的に使うものではありませんが、いちばんのマイナス要素である沈黙を避けるために活用できます。

filler の例

解答の冒頭	Let me think about that for a moment. It seems to me that ～ / I hadn't really ever thought about that, but I think ～ / I don't know much about ～ , but I feel … / I'm not totally confident, but I guess ～ / I'm not entirely certain, but if I had to guess ～ / I don't know for sure, but I think [but it would seem] ～
解答の途中	Let me see ～ / Well ～ / I mean ～ / You see ～

　スピーキングとライティングの語法上の違いは多々ありますが、その1つは There is [are] の使用です。Write About the Photo では「ライティング一般において多用は好まれない」とお伝えしましたが（ポイント7 There is 〜以外の表現も使おう）、スピーキングでは避ける必要はありません。サンプル問題のような **What are [is] 〜?** の質問文の場合、解答例のように「意見」の定型フレーズとしても使用できます。

意見　There are many ways to make a person more creative.

　一般的なエッセイ、スピーチでは「理由」を述べる前に There are <u>three reasons</u> to support my opinion. などと数を述べることがあります。解答時間が短いスピーキング問題の場合、想定とは異なり、「3つ目の『理由』（あるいは『方法』『側面』）を言い切れない時点で時間切れになる」「時間が余りすぎて、4つ目を足すことになる」場合もありえます。ライティング問題では解答終了直前に書き直すこともできますが、スピーキング問題ではそうもいかないので、結果として解答内容がやや不自然になります。予防策として「具体的な数」には触れないことをお勧めします。これによる採点上のマイナスの影響は全くありません。

　「音声のみの質問文をきちんと聞き取れている」ことを示すと同時に「語彙力のアピール」として、サンプル問題の解答例では質問文をある程度パラフレーズしています。

質問

What are some ways that **creativity can be developed in a person?**
↓
意見　There are many ways to **make a person more creative**.

　ただし、パラフレーズを意識しすぎて解答が止まってしまうのは望ましくありません。難しい場合はパラフレーズせずに、そのまま There are many ways that **creativity can be developed in a person**. などとしておきましょう。

ポイント8　　意外性のある主張の信頼性を高めるフレーズ

　サンプル問題の解答例では「人をより創造的にする方法」の1つとして「運動」が挙げられています。その根拠が一般的なものであれば必要はないですが、これは必ずしも広く認識されているものではないので、research shows that 〜として主張に信頼性を持たせています。

This might sound surprising, but **research shows that** when your heartbeat increases, more blood flows into your brain, which means that it receives more oxygen.

　多用するのは不自然なので、このフレーズが使える場合でも1回までの使用が妥当です。ほかには以下のような例があります。

信頼性を高めるほかのフレーズ例

研究などに基づくことを示すフレーズ Studies indicate that 〜 / Evidence suggests that 〜 / It has been found that 〜 / It has been proven that 〜 / According to scientific findings, 〜

報道などに基づくことを示すフレーズ According to a recent news report, 〜 / I once read something that said 〜 / A recent article suggests that 〜 / Reports indicate that 〜

ポイント9　　一般論を語る場合の人称代名詞 you、we の使用

　アカデミックライティングでは一般論を語る場合、人称代名詞 you、we を避けることを勧められます。そのため本書のライティング問題でもこのような用法は使用していませんが、スピーキング問題で一般論を語る際には you (your)、we (our) は自然に使われます。サンプル問題の解答例では「意見」で a person としながらも、それ以降では your として以下のように使われています。

This might sound surprising, but research shows that when **your** heartbeat increases, more blood flows into **your** brain, which means that it receives more oxygen.

　時間が余った場合は、In summary 〜、For these reasons 〜、In conclusion 〜 などとしてまとめる方法もあります。サンプル問題の解答例であれば、In summary, exercise, collaboration, and brainstorming are simple yet effective ways to develop your creativity. といった「結論」を加えることが可能です。ただ、**「結論」を入れるために「詳細」の解答を途中で終える必要はありません。**「詳細」に追加できる内容がある場合は、そちらを優先させましょう。

　サンプル問題の解答例では以下の 2 か所で関係代名詞の非制限用法の「, which」が使用されていますが、これはライティング以上にスピーキングにおいて便利です。

This might sound surprising, but research shows that when your heartbeat increases, more blood flows into your brain, **which** means that it receives more oxygen.

（第 3 センテンス）

The more often you do this, the better you become at seeing things from other people's points of view, **which** is a valuable skill for doing creative work.

（最終センテンス）

　いずれのセンテンスも、関係代名詞直前の〜 into your brain、〜 other people's points of view でセンテンスが一度完結しているのが特徴です。逆に言えば、「センテンスが一度完結した時点でも、そのときまでに追加の内容を思いついたら、言い直さずに自然に内容を追加できる」という利点があります。「ポイント 4 話すスピードと量」でスピーキング問題では「『話しながら解答を作る』作業は避けられません」とお伝えしましたが、「, which」はこのような状況で活用できます。

■ 解答のイメージ

解答する予定の内容

The more often you do this, the better you become at seeing things from other people's points of view, **which is a valuable skill for doing creative work.**

ここまで話す間に追加の内容を思いつく

「, which」を使って内容を追加する

Tips☞ 「さまざまな文法を使えているか」に対する利点も

　　　　and を使っても「, which」と同様の表現をすることができます。例えば、先ほど挙げた第 3 センテンスの例であれば、〜 , **and** this means that your brain receives more oxygen. とすることができます。また、最終センテンスの例であれば、〜 , **and** this is a

Chapter 8

Chapter 9　Listen, Then Speak 攻略

Chapter 10

Chapter 11

Chapter 12

Chapter 13

Chapter 14

valuable skill for doing creative work. とすることも可能です。しかしこれらは少々シンプルすぎるのが難点です。ここで関係代名詞を使うことで幅が広がり、「**さまざまな文法を使いこなせているか**（grammatical complexity）」という項目に対する採点上の利点も期待できます。

練習問題 1 　以下の 2 問について、2 センテンスを「, which」を使って 1 センテンスにまとめてみましょう。まずは口頭で解答し、次に内容確認を兼ねて空欄に書き込んでください。

解答時間 ▸ 各問 30 秒（空欄に書き込む時間は解答時間に含みません）

1 Creating works of art, such as paintings or music, allows you to express your thoughts in innovative ways. This method expands your creativity.

_____

_____

_____

2 You can inspire creativity by experiencing new places through travel. This provides exposure to different cultures and perspectives.

_____

_____

_____

練習問題 1 　解答例　　　　　　　　　　　　　　　　　音声 ▸ 054 〜 055

1 Creating works of art, such as paintings or music, allows you to express your thoughts in innovative ways, **which** can expand your creativity.

> 訳 ▸ 絵画や音楽のようなアート作品を創作すると斬新な方法で考えを表現でき、これが創造性を広げる可能性があります。

2 You can inspire creativity by experiencing new places through travel, **which** provides exposure to different cultures and perspectives.

> 訳　旅を通じて新しい土地を体験することで創造性を刺激でき、それが異なる文化やものの見方に触れる機会を与えてくれます。

ポイント12 「詳細」を長く話すための方法

　解答の語数を増やすためには、「詳細」をいかに長く話すかが重要になります。例えば、次の①〜⑥を手がかりに、追加する内容を考えてみるとよいでしょう。

①研究・統計の引用　②具体例の説明　③情報の掘り下げ　④結果・影響の説明
⑤対立する選択肢の言及　⑥状況説明

　解答例の中で使用されているものを示すと以下のようになります。

① 研究・統計の引用

意見 There are many ways to make a person more creative. 方法1 An often overlooked but effective method is exercise. 詳細 This might sound surprising, but research shows that when your heartbeat increases, more blood flows into your brain, which means that it receives more oxygen. Exercise also promotes connections between brain cells and the growth of new brain cells. These two factors improve brain function and help stimulate creativity. 方法2 Another way to develop creativity is to collaborate with others in the same or different fields or industries.

② 具体例の説明

詳細 For example, some professional musicians work with artists of different genres to create new songs. Being exposed to different kinds of music opens their minds, brings in new ideas, and stimulates their creativity. Such interactions often bring about creative works that are better than what one person could produce alone.

④ 結果・影響の説明

方法3 Finally, brainstorming ideas with others can also prove beneficial. 詳細 Exchanging as many ideas as possible without criticism is the key to this process. The more often you do this, the better you become at seeing things from other people's points of view, which is a valuable skill for doing creative work.

③ 情報の掘り下げ

④ 結果・影響の説明

Chapter 8

Chapter 9　Listen, Then Speak 攻略

Chapter 10

Chapter 11

Chapter 12

Chapter 13

Chapter 14

＊「⑤対立する選択肢の言及」については、本 Chapter の練習問題と Chapter 14 で、「⑥状況説明」については、Chapter 10 で触れます。

練習問題 2 　以下は質問とそれに対する解答例のアウトライン（部分的に記入済み）です（「意見」と「理由」は解答の英文が示されています）。「詳細」の日本語で記入済みのヒントを参考に、口頭で解答し、次に内容確認を兼ねて空欄に書き込んでください。

📋 準備時間 ▶ 20 秒　　🕐 解答時間 ▶ 1 分 30 秒（空欄に書き込む時間は解答時間に含みません）

🔊 音声 ▶ 056

質問

Do you think high schools should require their students to perform one year of community service? Why or why not?

解答例アウトライン

意見　I don't think that high school students should be required to do community service for one year.

理由1　These students are already very busy studying, preparing for university, and participating in extracurricular activities.

詳細1　・強制的な community service による悪影響
　　　・アルバイトなど報酬のある活動の影響

理由2 In contrast, what's good about voluntary community service is the simple fact that the desire to help others comes from within.

詳細2 ・自発的な community service による好影響

練習問題2 解答例

詳細1 **強制的な community service による悪影響**
Usually when people are forced to do something that requires a lot of time and energy, they may not produce their best results. Even worse, there is a possibility that with the required community service, students might get very tired, even angry, and may not really commit to their public duties.

アルバイトなど報酬のある活動の影響
Since there are plenty of part-time jobs for high school students, students may find little meaning in taking up unpaid community service.

詳細2 **自発的な community service による好影響**
Highly motivated students are more likely to stick to and achieve their goals, which will lead to an increase in self-confidence and self-esteem. I believe this development will positively affect almost every aspect of the students' lives, including their academic career or social skills, for example.

🔊 音声 ▸ 057

全文　I don't think that high school students should be required to do community service for one year. These students are already very busy studying, preparing for university, and participating in extracurricular activities. Usually **when** people are forced to do something that requires a lot of time and energy, they may not produce their best results. **Even worse**, there is a possibility that with the required community service, students might get very tired, even angry, and may not really commit to their public duties.　**Since** there are plenty of part-time jobs for high school students, students may find little meaning in taking up unpaid community service. **In contrast**, what's good about voluntary community service is the simple fact that the desire to help others comes from within. Highly motivated students are more likely to stick to and achieve their goals, which will lead to an increase in self-confidence and self-esteem. I believe this development will positively affect almost every aspect of the students' lives, including their academic career or social skills, for example.

(172 ワード、太字は接続表現)

語句　extracurricular 形 課外の／ even worse 句 さらに悪いことに／ commit 動 (to を伴って) ～に専念する／ public duty 名 奉公／ voluntary 形 自発的な／ motivated 形 やる気のある／ stick 動 (to を伴って) ～を守る／ self-confidence 名 自信／ self-esteem 名 自尊心

訳　**(質問)** 高校は生徒に 1 年間の社会奉仕活動を義務づけるべきだと思いますか？ その理由は何ですか？

(解答例全文) 高校生に 1 年間の社会奉仕活動を義務づけるべきだとは思いません。彼らはすでに勉強や大学進学の準備、課外活動への参加などでとても忙しいのです。通常、人は多くの時間とエネルギーを必要とすることを強制されると、最高の結果を出さないことがあります。さらに悪いことに、強制的な社会奉仕活動により、生徒は非常に疲れ、怒りさえ覚える可能性があり、公的奉仕に本気で取り組まないかもしれません。高校生のアルバイトならいくらでもあるので、無報酬の社会奉仕活動に参加する意義はほとんど見出さないかもしれません。それに対して、自発的な社会奉仕活動のよいところは、「人を助けたい」という気持ちが内面から出てくるという単純な事実です。やる気のある生徒は、より目標に忠実でそれを達成しやすく、これが自信や自尊心を高めることにつながるのです。この発展は、例えば学業や社会的なスキルなど、生徒の人生のほとんどすべての側面にプラスの影響を与えると思います。

解説 Chapter 8 (Read, Then Write) の「ポイント5『重複内容の回避』『質問で聞かれていることに答える』を意識する」を思い出しましょう。今回の内容を簡単にまとめると以下のとおりになります。

理由1 生徒はすでに忙しい
- → 人は強制されると、最高の結果を出さない
- → 強制的な社会奉仕活動には本気で取り組まない
- → アルバイトがあるので、無報酬の活動に意義は見出さない

理由2 自発的な社会奉仕活動は気持ちが内面から
- → やる気のある生徒は目標を達成、自尊心を高める
- → 人生のほとんどすべての側面にプラスの影響

Chapter 8 の実力養成問題 **2** の質問文「教育は権利か？ 特権か？」に対する解答例では「教育は権利である」を意見とし、「理由2」において、自分の選ばない「教育は特権」とした場合のマイナス点を書きました。今回の問題の質問文にある「強制的な社会奉仕活動」の裏側には「自発的な社会奉仕活動」の存在があるので、「理由2」で後者の利点を書いています。これは「ポイント12『詳細』を長く話すための方法」の「⑤対立する選択肢の言及」に該当します。Do you think A or B? ～や Agree or disagree? ～といった「2つの選択肢」タイプの問題では、このように自分が支持しない選択肢に触れて解答することができます。

Column

自分の考えを述べるためのフレーズ

　練習問題2の解答例は I don't think ～とスタンダードな表現で始まっていますが、表現の幅を持たせるために、以下のフレーズも頭に入れておきましょう。

断定的に主張しない場合　It seems to me that ～ / In my opinion, ～ / In my view, ～ / As far as I can tell, ～

断定的に主張する場合　I strongly believe that ～ / I am sure that ～ / I am confident that ～ / I firmly believe that ～ / I am convinced that ～ / I am certain that ～ / I have no doubt that ～ / Without a doubt, ～

実力養成問題

　今まで学習した点を踏まえ、以下の2問を解いてみましょう。内容を思いつかない方は
ヒントを参考にしてください。

📋 準備時間 ▸ 20秒

🕐 解答時間 ▸ 1分30秒（音声再生は最大3回／解答は最短でも30秒を目指す）

1　　　　　　　　　　　　　　　　　　　　　　　　　　　🔊 音声 ▸ 058

> 💡　Do you agree or disagree〜?といった質問とは違い、今回の質問は「両方の意見に賛成」と
> ヒント　いう解答も可能です。

2　　　　　　　　　　　　　　　　　　　　　　　　　　　🔊 音声 ▸ 060

> 💡　複数ある選択肢から1つを選び、「理由」と「詳細」を3つずつ考えてみましょう。
> ヒント

1 Technology is often lauded as a tool to help us be more productive. Some people think it makes us more reliant on machines. What do you think? Why?

> 訳 テクノロジーはしばしば、私たちの生産性を高めるツールとして称賛されます。テクノロジーは、私たちをより機械に依存させると思う人もいます。あなたはどう思いますか？ なぜですか？

🔊 音声 ▶ 059

意見 ① I think that both of these claims are true. ② Technology does indeed make us more productive, **but** it also makes us more dependent on machines. 理由1 ③ Imagine that you wanted to write a novel. 詳細 ④ Many years ago, you would have had to write it by hand or with a typewriter, which was inconvenient, unorganized, and time-consuming. ⑤ **In contrast**, today you could work on your novel whenever you wanted. ⑥ You could write a few paragraphs on your phone on the train, on your laptop at lunch, and then on your computer at home. ⑦ **Thanks to** technology, all of your writing would be neatly saved online, **and** you could easily access it. 理由2 ⑧ The downside to this is that these devices are also full of addictive distractions. 詳細 ⑨ **Since** our phones are so useful, we end up looking at them all the time, and most of the things we see are trying to steal our attention. ⑩ **In summary**, **while** technology has given us the tools to be more productive, without strong self-control we can easily become controlled by our machines.

(175 ワード、太字は接続表現)

> 語句 claim 图 主張／ time-consuming 厢 時間がかかる／ neatly 圖 きちんと／ downside 图 欠点、マイナス面／ addictive 厢 中毒性のある／ distraction 图 気を散らすもの／ self-control 图 自制

> 訳 私は、この2つの主張はどちらも正しいと思います。テクノロジーは確かに私たちの生産性を向上させますが、同時に私たちをより機械に依存させるものでもあるのです。小説を書こうと思ったとします。何年も前なら、手書きかタイプライターで書かなければならなかったでしょうし、不便で、整理されておらず、時間もかかりました。それに対して、今日ではいつでも好きなときに小説を書くことができます。電車の中で携帯電話で数段落を書き、昼食時にノートパソコンで、そして家でもパソコンで書くことができます。テクノロジーのおかげで、書いた文章はすべてオンライン上にきちんと保存され、簡単にアクセスすることができます。このことの欠点は、これらのデバイスが中毒性のある気晴らしにも満ちていることです。スマホはとても便利なので、ついついいつも見てしまい、目に入るもののほとんどが私たちの注意を奪おうとしているのです。このように、テクノロジーは私たちに生産性を高めるツールを与えてくれますが、強い自制心がなければ、私たちは簡単に機械に支配されてしまうのです。

Chapter 8

Chapter 9 Listen, Then Speak 攻略

Chapter 10

Chapter 11

Chapter 12

Chapter 13

Chapter 14

解説 質問文の laud (〜を賛美する) は難易度が高いですが、仮に意味を知らなくても Technology is often と a tool to help us be more productive が聞き取れれば「テクノロジーは我々をさらに生産的にする」という重要な趣旨は理解できます。

①② 通常より多い2センテンスを使って両方の意見に同意するという「意見」を示しています。パラフレーズは質問文の reliant を dependent に置き換える程度にしています。

③ Imagine that you 〜として「〜と想像してみてください」と小説を書く行為を例に出しています。一般的な仮定の話をしているので、以降も含めて you / we が使われています。

④「以前は手やタイプライターで書くので不便であった」と、自分の意見の「テクノロジーの利便性」を引き立たせるための内容です。p.152 で学習済みの「, which」を使い、「不便で、整理されておらず、時間もかかる」と追加情報を加えています。

⑦ 引き続き利点の記述で今回は「アクセスのしやすさ」が続きます。これまで人が主語のセンテンスが多かったので、最初の節では無生物主語を使いアクセントにしています。

⑧「このことの欠点は (The downside to this is)」として、ここからはテクノロジーのマイナス面になります。

⑨ マイナス面の具体例が出てきます。従属接続詞 Since を使って「さまざまな文法を使いこなせているか (grammatical complexity)」を意識しています。

⑩ もう少し解答のボリュームが欲しいところなので、今回は In summary として結論を加えています。while technology has given us the tools to be more productive は②の前半のパラフレーズ、without strong self-control we can easily become controlled by our machines は②の後半のパラフレーズです。ただ、解答の冒頭を記憶しつつパラフレーズをするのは至難の業なので、その場合はシンプルな In summary, technology helps us be productive, but it can also make us dependent on machines. などでも OK です。

2 Describe your favorite mode of transportation. Is it by car, boat, airplane, bicycle, or train? Explain why.

訳 好きな交通手段を教えてください。車、船、飛行機、自転車、電車ですか？ その理由を説明してください。

🔊 音声 ▶ 061

意見 ①There are many great forms of transportation, but I prefer trains the most. **理由1** ② **First and foremost**, they are highly punctual. **詳細** ③ In Tokyo, **for instance**, trains run on strict schedules and at busy stations a new train arrives every few minutes with few delays, even during morning and evening rush hours. ④This makes my daily commute and visits to my clients smooth and predictable, which is essential in a fast-paced business environment. **理由2** ⑤ **Second**, the convenience of train travel suits me better than other forms of transport. **詳細** ⑥ In Tokyo, major train stations are near important shopping districts. ⑦ **Also**, today's large stations are connected to shopping malls or

restaurants, so I can eat out or shop on my way home from work.
理由3 ⑧ **Finally**, taking trains is economical. 詳細 ⑨ For just a few dollars, you can get from one side of Tokyo to the other. ⑩ **Also**, there are different discount ticket options for a variety of travel needs. ⑪ A one-day pass, **for example**, provides unlimited travel in the city, which is useful for leisure activities, **while** a commuter pass offers unlimited travel between my home and office. ⑫ Both options make trains an attractive mode of transport.

(191 ワード、太字は接続表現)

語句　punctual 形 時間に正確な／ predictable 形 予測可能な／ fast-paced 形 ペースの速い／ on one's way home 句 家に帰る途中で／ economical 形 経済的な／ commuter pass 名 定期券

訳　数ある素晴らしい交通手段の中で、私は電車がいちばん好きです。何よりもまず、とても時間に正確です。例えば東京では、電車は厳密なダイヤで運行され、忙しい駅では朝夕のラッシュ時でもほとんど遅れることなく、数分おきに電車が到着します。そのため、毎日の通勤や取引先への訪問がスムーズで予測しやすく、このことはペースの速いビジネス環境では欠かせません。第二に、電車移動の利便性はほかの交通機関よりも私に合っています。東京では、主要な鉄道の駅は重要な繁華街の近くにあります。また、最近の大きな駅はショッピングモールやレストランとつながっているので、仕事帰りに外食や買い物ができます。最後に、電車は経済的です。わずか数ドルで東京の端から端まで移動できます。また、さまざまな移動のニーズに対応するため、さまざまな割引チケットがあります。例えば、1日乗車券は都内乗り放題でレジャーに便利で、通勤定期券は自宅と会社の間が乗り放題です。どちらのオプションも、電車を魅力的な交通手段にしています。

解説　提示された5つの交通手段から「電車」を選び、「理由」と「詳細」を3つ挙げています。
① 複数ある選択肢から train を選んでいます。わずかなパラフレーズですが mode → form としています。
②「理由1」として時間に正確である (punctual) 点を挙げています。
③「詳細」として厳密なダイヤ (strict schedules) に基づいて運行され、遅れがほとんどないことを述べています。
④ これにより通勤や顧客訪問がスムーズである点に触れています。関係代名詞の非制限用法 (, which) を使って、追加情報も含めています。
⑤「理由2」は「便利さ (convenience)」です。この suit は動詞で「〜に都合がよい」を意味します。
⑥「詳細」として「主要な駅が繁華街 (shopping districts) の近くにある」点を挙げています。
⑦「大きな駅はショッピングモールなどとつながり、仕事帰りに外食などが可能」として「詳細」を続けます。「on one's way home（家に帰る途中で）」は会話表現の定番の1つです。
⑧ 最後の「理由3」は「経済的である、値段が安い (economical)」です。
⑨「詳細」としてわずかな金額で東京の中を移動できる点を挙げています。
⑩ 引き続き経済的である利点の「詳細」として割引チケット (discount ticket options) に触れます。
⑪ 1日乗車券と通勤定期券を引き合いに、割引の例を出しています。
⑫ この2つが電車を魅力的な (attractive) 移動手段にしている、として解答を終えています。

実践問題

　最後に以下の2問を解いてみましょう。内容を思いつかない方はヒントを参考にしてください。

📋 **準備時間 ▸ 20 秒**

🕐 **解答時間 ▸ 1 分 30 秒（音声再生は最大 3 回 / 解答は最短でも 30 秒を目指す）**

1　　　　　　　　　　　　　　　　　　　　　　　　　🔊 **音声 ▸ 062**

> 💡 質問ではある1つのテーマに関して述べることのみ指示があります。p.148 の「1つのテーマを
> ヒント 分割するタイプ」のアウトラインを思い出し、このテーマをいくつかの側面に区切って解答を作成
> しましょう。

2　　　　　　　　　　　　　　　　　　　　　　　　　🔊 **音声 ▸ 064**

> 💡 サンプル問題と類似の質問文です。2つの事柄に関して言及されていますが、解答する際には
> ヒント 両方に触れるようにしましょう。

1 Describe a holiday you have recently celebrated.

> **訳** あなたが最近祝った祝日について述べてください。

🔊 音声 ▶ 063

Last month, I attended a ceremony to celebrate Coming of Age Day. It's a national holiday for people who have turned 20 years old. **Even though** the legal age of adulthood was lowered to 18 in 2020, my local government still holds ceremonies for people who have turned 20 years old. On the day of the ceremony, I had to get up early **so that** I would have time to do my hair and get dressed. Women attending the Coming of Age Day ceremony wear a *furisode*, which is a type of kimono with long sleeves. **When** I got to the ceremony site, I was happy to see some of my high school friends. One of the guest speakers was a young founder of a startup company, **and** I found her speech fascinating. **Since** I'm an economics major, her talk about the future of entrepreneurship was especially inspiring. **After** the ceremony, my friends and I went out to eat and celebrate. We hadn't seen each other since graduation, **so** it was a great opportunity to catch up.

(177 ワード、太字は接続表現)

> **語句** Coming of Age Day 图 成人の日／ adulthood 图 成人／ do one's hair 句 髪を整える／ major 图 専攻／ entrepreneurship 图 起業家の活動／ inspiring 形 鼓舞する／ catch up 句 最新の情報を話し合う

> **訳** 先月、成人の日を祝う式典に出席しました。20 歳になった人のための国民の祝日です。2020 年に法律上の成人年齢が 18 歳に引き下げられたとはいえ、私の住む自治体では今でも 20 歳になった人を対象にした式典が開催されています。成人式当日は、髪を整えたり着替えたりする時間を確保するため、早起きしなければなりませんでした。成人式に出席する女性は振袖を着ます。振袖は袖の長い着物の一種です。会場に着くと、高校時代の友人たちに会えてうれしくなりました。ゲストスピーカーの一人は、スタートアップ企業の若き創業者で、彼女のスピーチは魅力的でした。私は経済学を専攻しているので、彼女の起業家活動の未来についての話は特に刺激的でした。式典のあと、友人と私は食事に出かけ、祝いました。卒業式以来会っていなかったので、近況を報告するよい機会になりました。

Tips 🖙 日本独自の事柄は説明を

ライティング問題の場合も含め、自国のみで通じる内容（海外では知られていないこと）には補足説明を加えましょう。メインの解答ポイントである成人の日は It's a national holiday ～ とし、振袖については a *furisode*, which is a type of kimono with long sleeves と追記しています。

Chapter 8

Chapter 9　Listen, Then Speak 攻略

Chapter 10

Chapter 11

Chapter 12

Chapter 13

Chapter 14

2 What are some of the benefits and drawbacks of remote work or remote learning?

訳　リモートワークやリモートラーニングの利点と欠点にはどのようなものがありますか？

＊remote work or remote learning はリモートワークとリモートラーニングの両方に関して解答を要求しています。

🔊 **音声 ▶ 065**

There are both advantages and disadvantages to remote work and remote learning. I would say that the greatest advantage of remote working is that it allows companies to hire people who wouldn't be able to work in certain places or at certain hours. This means that companies can attract a bigger pool of talented people. Such an arrangement is **also** beneficial to employees **in that** they can enjoy a greater deal of freedom and job satisfaction. **Similarly**, remote learning provides students with access to educational resources without them needing to worry about location and scheduling issues. **Another** benefit of both remote work and remote learning is cost savings. Companies and schools can spend less on facilities and utilities. **Likewise**, everyone can cut back on commuting costs. **However**, remote work and remote learning have their drawbacks, as well. Perhaps the greatest of these is the feeling of isolation due to the lack of face-to-face communication. Communication itself can **also** be a challenge. Talking to classmates or colleagues at a school or office doesn't take time, **but** too much written communication can cause misunderstandings, **and** setting up web meetings can take time.

（190 ワード、太字は接続表現）

語句　drawback 图 デメリット、欠点／ pool 图 要員、人員／ talented 形 才能のある／ in that ～ 接 ～という点において／ utilities 图 （電気・ガス・水道など）生活必需サービス／ drawback 图 デメリット、欠点／ isolation 图 隔離、孤立／ colleague 图 同僚

訳　リモートワークやリモートラーニングには、メリットとデメリットの両方があります。リモートワークの最大のメリットは、企業に特定の場所や時間帯で働くことができない人を採用することを可能にすることだと思います。つまり、企業はより多くの優秀な人材を集めることができるのです。このような取り決めは、従業員にとっても、より大きな自由と仕事のやりがいを享受できるという点で有益です。同様に、リモートラーニングは、学生が場所やスケジュールの問題を気にすることなく、教育資源にアクセスできるようにします。また、リモートワークやリモートラーニングにはともに、コスト削減というメリットもあります。企業や学校は、施設や光熱費の負担を減らすことができます。同様に、誰もが通勤にかかる費用を削減することができます。しかし、リモートワークやリモートラーニングには、デメリットもあります。その最たるものが、対面でのコミュニケーション不足による孤独感でしょう。また、コミュニケーションそのものが難しい場合もあります。学校や職場でクラスメートや同僚と話すのは時間がかかりませんが、過度の文字でのコミュニケーションは誤解を招きますし、ウェブミーティングの設定にも時間がかかりえます。

ライティング・スピーキング問題の出題分野

　写真描写問題以外のライティング、スピーキング問題 (合計 5 形式) について、出題される分野や質問には共通点があります。以下で確認しておきましょう。

対象となる問題

ライティング	Read, Then Write (Chapter 8)
	Writing Sample (Chapter 13)
スピーキング	Listen, Then Speak (Chapter 9)
	Read, Then Speak (Chapter 10)
	Speaking Sample (Chapter 14)

共通して出題される分野・質問

人生哲学	情熱とキャリアはしばしば結びついていますか？
	リーダーシップが役立つ人生の局面とは何ですか？
テクノロジー	リモートラーニングの利点と欠点は何ですか？
	テクノロジーは人を生産的にしますか？ 機械に依存させますか？
社会	若い世代の人は、古い世代が同じ年齢のときと比べて、生活の質が高いですか？
	あなたの国の公的扶助について論じてください。
教育	誰もが平等に教育を受けられるべきですか？ それとも特権であるべきですか？
	高校は生徒に社会奉仕活動を義務づけるべきだと思いますか？
個人の嗜好	あなたが尊敬する歴史上の人物は誰ですか？
	あなたが好きな交通手段は何ですか？
個人の経験	あなたが示した思いやりのある行為は何ですか？
	最近、誰かに教えた経験は何ですか？
コミュニケーション	複数の異なる情報源からニュースを入手することは重要ですか？
	この 50 年間でコミュニケーションはどう変化しましたか？
芸術	人々が美術館や博物館を訪れる理由は何だと思いますか？
	外国映画を見て、その国について何を学びましたか？
地理・文化	あなたが現在住んでいる国の地理を説明してください。

Chapter 10

Read, Then Speak 攻略

出題形式

　数センテンスで提示される質問に対して話して解答する形式です。Listen, Then Speak と準備時間、解答時間など多くの共通点がありますが、**質問文が文字のみ**で提示されるのが最大の違いです。

"Speak about the topic below for 90 seconds."
（90 秒で下のトピックについて話してください）

1:24

Speak about the topic below for 90 seconds.

Talk about a recent achievement or accomplishment.
質問分は文字のみ、音声はなし
・What did you accomplish?
・How did it make you feel?
・What steps did you take to achieve it?
・Why was it important to you?

● RECORDING   ·ıı|||ıı·········   You can continue after 30 seconds

解答時間開始 30 秒後に NEXT が表示される。次の問題へ進むことも可

- **準備時間** | 20 秒
- **解答時間** | 1 分 30 秒（30 秒経過の時点で次の問題に進むことが可能だが、時間を使い切るのがお勧め）
- **出題頻度** | 1 回のテストにつき 1 回

Listen, Then Speak との最大の違いは質問文が文字のみで表示される点と同時に、質問文に解答すべき複数のポイントが記載されていることが多い点です。これにより、「何について話すべきか？」に関して悩むことは少なくなります。しかし、提示された質問に答えるだけでは、十分な長さの解答にならないこともあるので、別のポイントを加えるなどの対応も重要です。

攻略のポイント

サンプル問題

以下の問題を本試験と同じ準備時間・解答時間で解いてみましょう。

📋 準備時間 ▶ 20 秒　🕐 解答時間 ▶ 1 分 30 秒

Discuss public assistance offered to low-income individuals and families in your country.

- What kinds of assistance are offered?
- Who can benefit?
- What are some of the positive and negative results of these programs?

解答例

🔊 音声 ▶ 066

上級　誰が恩恵を受ける？ In Japan, there are various forms of public assistance for low-income people and households. These programs mainly help individuals and families who earn less than an income level set by the government. どのような扶助？ They pay for basic necessities such as food, clothing, utilities, and housing in order to maintain a basic standard of living. The actual amount of pay depends on the person's age or the size of the family. Part of the cost of compulsory education, which in Japan is elementary school through junior high school, and childbirth are also covered. Assistance is most generous when it comes to medical bills and nursing care, which are fully covered. よい結果と悪い結果は？ **On the positive side**, the public assistance has functioned as a social safety net and helped to reduce social inequality for a long time. **As a result**, many people have gained access to essential services. **But** as the Japanese economy struggles, some people point out the possible misuse and dependency on this kind of assistance. **In some cases**, applications from those in need have been rejected **because** local government officials feel pressured to tighten the requirements.

(184 ワード、太字は接続表現)

語句 public assistance 名 公的扶助／ household 名 世帯、家庭／ necessity 名 必需品／ utilities 名（電気・ガス・水道など）生活必需サービス／ compulsory 形 義務的な／ when it comes to 〜 句 〜に関して言えば／ nursing care 名 介護／ social safety net 名 社会的セーフティーネット（最低限生活保障の社会福祉制度）／ misuse 名 悪用、誤用／ tighten 動 〜を厳しくする

訳 **（質問）** あなたの国で低所得の個人や家族に提供されている公的扶助について論じてください。
・どのような扶助がありますか？
・誰が恩恵を受けますか？
・これらのプログラムによるよい結果と悪い結果は何ですか？

（解答例） 日本には、低所得者や低所得世帯を対象としたさまざまな公的扶助があります。これらのプログラムは主に、政府が定めた収入レベル未満の個人や家族を救済します。これらは基本的な生活水準を維持するために、食料、衣類、光熱費、住宅などの基本的必需品のための支払いをします。実際の支給額は、その人の年齢や家族の人数によって異なります。また、義務教育費（日本では小学校から中学校まで）や出産費用の一部も支給されます。最も手厚いのは医療費と介護費で、全額がカバーされます。プラス面では、公的扶助は社会的セーフティーネットとして機能し、長い間、社会的不平等の解消に役立ってきました。その結果、多くの人々が必要不可欠なサービスを受けられるようになりました。しかし、日本経済が苦境に立たされるなか、この種の扶助が悪用され、依存される可能性を指摘する声もあります。自治体職員が要件を厳しくするよう圧力を感じているため、困っている人からの申請が却下されるケースもあります。

🔊 音声 ▶ 067

中級 In Japan, there's a special system to help out people who don't have much money. It's called public assistance. This system helps people pay for basic needs like food and clothing. It also helps cover rent and utility bills. It even helps children go to school and covers medical costs. This has done a lot of good and has helped to make things more equal. But the economy in Japan has been struggling. This is causing some people to rely on the system more than they should. And what's worse, some people who really need the help are getting turned away because the government is making it harder to qualify. (110 ワード)

日本にはあまりお金のない人を助ける特別な制度があります。いわゆる生活保護です。この制度は、人々が食料や衣類などの基本的なニーズの支払いをするのを助けます。家賃や光熱費の支払いも助けます。子どもたちの就学も援助し医療費もカバーします。これは多くのよいことをもたらし、物事をより平等にするのに役立ちました。しかし日本経済は低迷しています。このため、一部の人々は必要以上に制度に依存することになります。さらに悪いことに、政府が受給資格の取得を難しくしているために、本当に支援を必要としている一部の人々が拒否されているのです。

ポイント1 **頻出の質問タイプ**

Listen, Then Speak と準備時間、解答時間などの形式は同じですが、違うのは音声の有無です。そのほかの同じ（類似）点、違う点も確認しておきましょう。

1 「メイントピック＋（複数の）質問」タイプ

Read, Then Speak では以下の**「メイントピック」**と**「（複数の）質問」**から成る構成でよく出題されます。質問の数は **3、4 個が多く**、まれに 5 個のこともあります。短い準備時間（20 秒）内で質問の内容を把握し、アウトラインを作るためにも、この構成に慣れておきましょう。以下はサンプル問題の例です。

メイントピック

Discuss public assistance offered to low-income individuals and families in your country.

あなたの国で低所得の個人や家族に提供されている公的扶助について論じてください。

質問 1

What kinds of assistance are offered?

どのような扶助がありますか？

質問 2

Who can benefit?

誰が恩恵を受けますか？

質問 3

What are some of the positive and negative results of these programs?

これらのプログラムによるよい結果と悪い結果は何ですか？

2 質問文のパターン

Read, Then Speak では多くの場合、以下の自由回答を求める質問文でメイントピックが示されます。

Discuss ～ / Describe ～ / Talk about ～ / What is (are) ～?

　全体の傾向としては「～に関して述べなさい」という趣旨のものが多く、「賛成？ 反対？」といった「2つの選択肢」タイプはあまり出題されません。類似と認識されることの多い discuss と describe との意味の厳密な違いは、「discuss は話し手のより深い見解が問われる」などと説明されますが、DET では個別の質問が解答すべき内容を指示しますので、この点は意識しなくても問題ありません。

ポイント2　**解答の基本構成**

　質問文にあるすべての質問に解答するようにしましょう。なお、サンプル問題の解答例では、質問1（どのような扶助がありますか？）と質問2（誰が恩恵を受けますか？）に対する解答の順番が入れ替わっていますが、**解答全体として自然な流れにするための順番の移動は問題ありません。**

■ サンプル問題の解答例の構成

メイントピック　あなたの国の公的扶助について論じてください。

質問1　（どのような扶助？）基本的な必需品、義務教育費、出産費用などの支払い

質問2　（誰が恩恵を受ける？）所得が一定の基準値を下回っている人たち

質問3　（よい結果と悪い結果は？）　よい結果：社会的不平等の是正に役立つ

　　　　悪い結果：悪用や依存の可能性、申請が却下されるケース

Tips　個々の質問の解答は長さが違っても OK

　　　　複数ある質問に対する解答の長さですが、**内容によってはすぐに解答が終わってしまうものもあるので、解答の長さを一律同じにすることを意識する必要はありません。**以下の例を見てみましょう。

　　　メイントピック　最近読んだ本について話してください。

　　　質問1　タイトルは何でしたか？

　　　質問2　何に関する本でしたか？

　　　質問3　最初にその本を知ったきっかけは？

　　　質問4　その本のどこが好きでしたか、嫌いでしたか？

　　　質問1（本のタイトル）については答えを長くする方法がないのは明らかなので、質問2～4を中心に解答することになります。

　話すべき内容は箇条書きされた質問により複数指示されているので、これに従えば解答時間を使い切ることもあります。一方で、「ポイント2　解答の基本構成」にあるとおり、内容によってはあっという間に終わってしまう場合もありうるので、臨機応変に内容を加えることも重要です。

　Listen, Then Speak の「ポイント12『詳細』を長く話すための方法」でも確認した、①研究・統計の引用、②具体例の説明、③情報の掘り下げ、④結果・影響の説明、⑤対立する選択肢の言及、⑥状況説明を意識しながら以下の問題で練習してみましょう。

練習問題　以下に質問と解答用アウトラインのセットがあります。アウトラインには個別の質問が記され、解答内容の趣旨が日本語で示されています。また、長く話すための「追加情報」も一部書いてあります。これらを参考にしながら、まずは口頭で解答してみましょう。そのあとに確認のため、空欄に解答を書き込んでください。

　　　📋 準備時間 ▶ 20 秒　　🕒 解答時間 ▶ 1 分 30 秒 (空欄に書き込む時間は解答時間に含みません)

質問 1

Talk about a recent achievement or accomplishment.

- What did you accomplish?
- How did it make you feel?
- What steps did you take to achieve it?
- Why was it important to you?

Chapter 8

Chapter 9

Chapter 10

Read, Then Speak 攻略

Chapter 11

Chapter 12

Chapter 13

Chapter 14

解答用アウトライン

- **What did you accomplish?** → 「体重を 10 キロ減らした」

_____

- **追加情報 (状況説明)** → 「仕事の勤務時間が遅かった」「ストレスにより夜に食べすぎ、体重が増えた」

_____

_____

_____

- **What steps did you take to achieve it?** → 「ジムに通った」「食事を改善した」

_____

_____

_____

- **How did it make you feel?** → 「気分がよい」「人生に楽観的であるためには体調のよさが必要」

_____

_____

- **Why was it important to you?** → 「困難なことを達成できることを証明した」

_____

_____

What did you accomplish?

A recent achievement that was important to me was losing 10 kilos.

追加情報 (状況説明)

My work shifts used to start late in the day and end late at night. I had dinner around midnight and ate a lot to relieve my stress. **As a result**, I gained 10 kilos. I hated looking at myself in the mirror, **and** my self-esteem suffered.

What steps did you take to achieve it?

I started going to the gym, **where** I did weight training and used the treadmill. **Also**, I watched my diet and started having a big breakfast and a small dinner with a lot of vegetables. It took me almost a year to get rid of the extra weight, **but** I finally did it.

How did it make you feel?

Now that I am back at my prior weight, I feel good about myself. Staying fit is necessary to maintain a positive attitude about life.

Why was it important to you?

Perhaps most importantly, I proved that I can achieve a difficult goal with hard work, patience, and diligence.

(155 ワード、太字は接続表現)

語句 relieve 動 ～を和らげる／ self-esteem 名 自尊心／
treadmill 名 ランニングマシーン (running machine は和製英語) ／
watch 動 ～に気をつける／ prior 形 以前の／ patience 名 忍耐／ diligence 名 勤勉

訳 **(質問)** 最近の成果や達成について話してください。
・何を達成しましたか？
・どんな気持ちになりましたか？
・それを達成するためにどのようなステップを踏みましたか？
・なぜそれがあなたにとって重要だったのですか？
(全文) 私にとって重要な最近の成果は、体重を 10 キロ落としたことです。私の仕事のシフトは、昼遅く始まり、夜遅く終わることが以前は多くありました。夜中の 12 時頃に夕食をとり、ストレス解消のためにたくさん食べました。その結果、10 キロ太ってしまいました。鏡の中の自分を見るのが嫌になり、自尊心が傷つきました。ジムに通い始め、ウェイトトレーニングをしたり、ランニングマシーンを使ったりしました。また、食生活にも気を配り、朝食をしっかりとり、夕食は野菜たっぷりの少食にしました。余分な体重を減らすのに 1 年近くかかりましたが、やっと達成できました。今では元の体重に戻り、自分でもいい気分です。健康でいることは、人生に対する前向きな姿勢を維持するために必要なことです。おそらく最も重要なことは、努力と忍耐と勤勉さがあれば、困難な目標も達成できるということを証明したことでしょう。

解説 まず、accomplishment というと「偉業」のイメージが大きいですが、「多くの努力を伴う行為」である点が重要なので、体重コントロールも accomplishment の 1 つになりえます。肝心の解答の構成ですが、「状況説明」として「体重増加の原因」が追加されています。この「追加情報」がなくても個別の質問には解答できていますが、「**そもそもなぜ減らす必要があったのか?**」があると、より解答の流れが自然になると同時に解答の量を増やすことができます。ただし、内容を追加する際には時間を取りすぎてほかの解答すべき部分が手つかずにならないように注意してください。

質問 2

Discuss a social issue or cause that you are passionate about.

- What is the issue?
- Why is it important to you?
- What steps have you taken or would you like to take to raise awareness or bring about change in relation to this issue?

解答用アウトライン

- **What is the issue?** → 「廃棄物管理 (ごみ問題)」

- **追加情報 1 (具体例の説明)** → 「日本ではごみの大半は焼却され、埋め立て地に廃棄」「わずかな量のみがリサイクルされる」

- **Why is it important to you?** → 「埋め立て地は数十年後には不足する」

- 追加情報 2（具体例の説明）→「大量のリサイクル処理されていないプラスチックごみを輸出している」

_____

- **Why is it important to you?** →「マイクロプラスチックによる海洋汚染につながる」

_____

- 追加情報 3（具体例の説明）→「食べられる分も含む大量の食べ物が廃棄されている」

_____

_____

- **Why is it important to you?** →「発展途上国から食べ物を奪っている」

_____

- **What steps have you taken or would you like to take to raise awareness or bring about change in relation to this issue?**
「服を買わずに修繕している」「プラスチック製ではなく紙ストローを頼んでみたい」

_____

_____

_____

_____

_____

What is the issue?

There are many social issues I deeply care about, **but if** I had to pick one, it would be waste management.

追加情報 1（具体例の説明：埋め立て地）

In the case of my country, Japan, most of the waste is burned at incineration plants and dumped in landfills, with only a small portion recycled.

Why is it important to you?

But we may run out of landfill space in a few decades.

追加情報 2（具体例の説明：プラスチックごみの海外輸出）

Also, we export a significant amount of unrecycled plastic waste every year.

Why is it important to you?

This could contribute to microplastic pollution in the ocean.

追加情報 3（具体例の説明：食品廃棄）

Not only that, **but** there are also several million tons of food thrown away every year, some of which is fit for human consumption.

Why is it important to you?

This practice takes away a tremendous amount of food from developing countries.

What steps have you taken or would you like to take to raise awareness or bring about change in relation to this issue?

I've been doing my part to tackle these issues. **For example**, to reduce waste, I pay to repair old clothes instead of buying new things. I **also** plan to ask for paper straws **whenever** they are available rather than plastic ones at cafes or restaurants.

（161 ワード、太字は接続表現）

waste management 图 廃棄物管理／ incineration 图 焼却／
dump 動 (重い物など) 〜をどさっと捨てる／ landfill 图 埋め立て式ごみ処理地／
contribute 動 (to を伴って) 〜の一因になる／ pollution 图 汚染／
consumption 图 消費／ tackle 動 〜に取り組む

訳 **(質問)** あなたが情熱を注いでいる社会問題や大義について論じてください。

・その問題とは何ですか？

・なぜそれがあなたにとって重要なのですか？

・この問題に関して、意識を高めたり変化をもたらしたりするために、あなたはどのような手段を講じましたか、または講じたいと思いますか？

(全文) 私が深く関心を抱いている社会問題はたくさんありますが、あえて１つを挙げるとすれば、廃棄物管理になるでしょう。私の国、日本の場合、廃棄物のほとんどは焼却場で焼かれ、埋め立て地に捨てられ、リサイクルされるのはごくわずかです。しかし、数十年後には埋め立て地のスペースがなくなるかもしれません。また、毎年かなりの量のリサイクルされていないプラスチックごみが輸出されています。これが海洋のマイクロプラスチック汚染の一因になっている可能性もあります。それだけでなく、毎年数百万トンの食品が捨てられ、その中には人間が食べるのに適したものもあります。この習慣は、発展途上国から莫大な量の食糧を奪っています。私はこのような問題に取り組むため、自分の役割を果たしてきました。例えば、廃棄物を減らすために、私は新しいものを買う代わりに古着の修繕代を払っています。また、カフェやレストランではプラスチック製ではなく、紙ストローがあるときはそれを頼むようにしたいと思っています。

解説 最初のセンテンス There are many 〜は、Listen, Then Speak のサンプル問題の解答例でも使用されていた使い勝手のよいフレーズです。ただ、What is the issue? に対して、解答が「廃棄物管理 (ごみ問題) です」のみだとボリューム不足になる可能性があるので、３つの例 (埋め立て地、プラスチックごみの海外輸出、食品廃棄) を出し、それぞれに関する Why is it important to you? の解答を加えています。

実力養成問題

今まで学習した点を踏まえ、ヒントを参考にしながら以下の 2 問を解いてみましょう。

準備時間 ▸ 20 秒　　解答時間 ▸ 1 分 30 秒（解答は最短でも 30 秒を目指す）

1 **Talk about a gift that you gave to someone recently.**

- What was it?
- Who did you give it to?
- How did it make you feel?
- Why did you give it to this particular person?

> ヒント　What was it? と Who did you give it to? の 2 点に関しては解答がすぐに終わるでしょう。「状況説明」として「買ったときの状況」「受け取った相手の反応」を追加してみましょう。

2 **Talk about a recent experience of teaching or tutoring someone.**

- What subject or skill did you help them with?
- Who did you teach or tutor?
- How did it make you feel?
- Why did you choose to offer your knowledge and assistance to this particular person?

> ヒント　What subject or skill did you help them with? と Who did you teach or tutor? の 2 点に関しては解答がすぐに終わるでしょう。「状況説明」として「指導時の状況」を追加してみましょう。

1 **What was it?** **Who did you give it to?**

①A couple of months ago, I surprised my mother-in-law by buying her some flowers.

Why did you give it to this particular person?

② One time, I gave my wife some flowers, **and** my mother-in-law jokingly said, "Where are my flowers?" ③**Although** she meant it as a joke, it occurred to me that she probably had not gotten flowers as a gift for a very long time, **because** her husband passed away several years ago. ④ **As** she often makes meals for my family or helps me and my wife with our kids, I thought I should repay her in some way.

追加情報（買ったときの状況）

⑤I asked my wife what kind of flowers her mother liked, **and** she told me her favorite was white "Casa Blanca" flowers. ⑥ I did not know what these were, **but** I went to a flower shop and asked for them.

追加情報（受け取った相手の反応）

⑦ My mother-in-law was so surprised **when** I gave her the flowers, **and** I could see from her face that she was really excited to receive them.

How did it make you feel?

⑧ It felt good to show someone that I appreciate them.

（167 ワード、太字は接続表現）

語句 mother-in-law 图 義母／occur 動 (to を伴って) ～の心に浮かぶ／
pass away 句 (婉曲的に) 亡くなる／repay 動 ～に恩返しする／
it feels good to ～ 句 ～するのは気分がよい

訳 **(質問)** 最近誰かに贈ったプレゼントについて話してください。
　・それは何でしたか？
　・誰にあげましたか？
　・どのように感じましたか？
　・なぜその人に贈ったのですか？
　(解答例) 数か月前、私は義母に花を買ってきて驚かせました。あるとき、私は妻に花を贈りましたが、義母は冗談めかして「私の花はどこ？」と言いました。彼女は冗談のつもりで言ったのですが、数年前に夫を亡くしたため、おそらく長い間、花を贈られたことがないのだろうと思いました。彼女はよく私の家族のために食事を作ってくれたり、私と妻が子どもたちの世話をするのを手伝ってくれたりするので、私は何らかの形で彼女に恩返しをしなければならないと思いました。妻に彼女の母

the.

the.

の好きな花を尋ねると、白い「カサブランカ」という花が好きだとのことでした。私はそれが何なのか知りませんでしたが、花屋さんに行って頼んでみました。花を渡すと、義母はとても驚いていました。そして彼女の表情から、花を受け取ってとても喜んでいることがわかりました。誰かに感謝の気持ちを伝えるのはいいことだと思いました。

解説
① 「個別の質問」である「何を?」「誰に?」に関し1センテンスで解答しています。
③〜④ 「個別の質問」の「なぜその人にプレゼントを?」に関し、2つの理由を挙げています。1つ目が「おそらく長い間、花を贈られたことがないのだろう (she probably had not gotten flowers as a gift for a very long time)」。過去の時点からさらに昔にさかのぼった内容なので過去完了形になっています。2つ目は「彼女はよく私の家族のために食事を作ってくれたり、私と妻が子どもたちの世話をするのを手伝ってくれたりするので (As she often makes meals for my family or helps me and my wife with our kids)」が挙げられています。
⑤〜⑥ 「メイントピック」がプレゼントであれば買ったときの状況について語るのは至って自然です。ここが「追加情報 (状況説明)」になります。
⑦ 相手がプレゼントを受け取ったときの反応も内容としては自然です。ここも「追加情報 (状況説明)」になります。
⑧ 「個別の質問」の「あなたはどのように感じたか?」に関する言及です。解答例のこれまでの内容は主に義理の母に関するものですが、このセンテンスは一般論として「感謝の気持ちを伝えるのはいいことだ」としています。そのため show の目的語は someone となっており、someone を受ける appreciate の目的語は特定の性別を意図していないので them となっています。

🔊 音声 ▶ 071

2 **What subject or skill did you help them with?** **Who did you teach or tutor?**

① Recently, I helped my grandfather learn how to use his smartphone.

Why did you choose to offer your knowledge and assistance to this particular person?

② He mentioned that he wanted to exchange photos and videos with his friends and family using his phone, **but** he did not know how, **so** I offered to teach him.

追加情報 (指導時の状況)

③ I thought it would be very easy to teach him these skills **because** they seemed very basic to me, **but** it took much longer than I expected. ④ He did not know how to do even basic things like downloading an app from the App Store, let alone setting up a new account on a messaging app. ⑤ **Eventually, however**, we got everything set up for him, **and** he learned how to take photos and videos and send them in messages.

How did it make you feel?

⑥ Now he sends me messages quite frequently, **and** every time he does, I feel glad that I helped teach him. ⑦ An additional benefit is that I learned how to adjust my teaching to someone else's level of skill and experience and to stay patient **even when** it takes a long time for them to learn.

(175 ワード、太字は接続表現)

語句 let alone ～ 〔句〕（通常否定文で）ましてや～は言うまでもなく／adjust 〔動〕～を調整する／patient 〔形〕忍耐強い

訳 **(質問)** 最近、誰かに教えたり、個人指導したりした経験について話してください。
　・どのような教科やスキルの指導をしましたか？
　・誰に教えたり、個人指導したりしましたか？
　・どのように感じましたか？
　・なぜその人に自分の知識や援助を提供しようと思ったのですか？
　(解答例) 最近、祖父がスマートフォンの使い方を覚えるのを手伝いました。祖父はスマホを使って友人や家族と写真や動画を交換したかったのですが、やり方がわからないと言うので、私が教えることにしました。私にはとても基本的なスキルに思えたので、教えるのはとても簡単だと思いましたが、予想以上に時間がかかりました。彼は App Store からアプリをダウンロードするような基本的なことさえ知りませんでしたし、ましてやメッセージングアプリの新しいアカウントを設定するなど、できませんでした。しかし、最終的にはすべて設定し、彼は写真や動画の撮り方、それらをメッセージで送る方法を覚えました。今、とても頻繁に私にメッセージを送ってきますが、そのたびに、彼が覚えるのを手助けしてよかったと思います。さらに、相手のスキルや経験に合わせて教え方を調整する方法や、習得に時間がかかる場合でも忍耐強くいる方法を学べたことも収穫でした。

解説 ①「個別の質問」である「何を？」「誰に？」に関し1センテンスで解答しています。
　②「個別の質問」の「なぜその人に自分の知識や援助を提供しようと思った？」に対し、「祖父はスマホを使って友人や家族と写真や動画を交換したかったのですが、やり方がわからない (he wanted to exchange photos and videos with his friends and family using his phone, but he did not know how)」を理由に挙げています。
　③～⑤「メイントピック」が experience of teaching or tutoring someone なので、「とても簡単だろうと思った (I thought it would be very easy)」指導が、予想以上に困難だったという描写が、「指導時の状況 (状況説明)」になります。④の「let alone ～（ましてや～は言うまでもなく）」が難しい場合、He did not know how to do even basic things like downloading an app from the App Store. Setting up a new account on a messaging app was even more challenging for him. でも同じことが言えます。⑤ Eventually, however, **we** got everything set up for him ～では、「祖父と自分の2人で試行錯誤をした」ため we が使われていますが、I でも OK です。
　⑥～⑦ 最後は「あなたはどう感じた？」に対し、he sends me messages quite frequently と祖父の上達ぶりを紹介し、「彼が覚えるのを手助けしてよかった (I feel glad that I helped teach him)」と感想を述べています。また、An additional benefit として「相手のスキルや経験に合わせて教え方を調整する方法を学んだ (I learned how to adjust my teaching to someone else's level of skill and experience)」とも解答しています。⑦の someone は性別を特定しないので、対応する代名詞は them になっています。

実践問題

最後に以下の問題を解いてみましょう。

📋 準備時間 ▸ 20 秒　　🕒 解答時間 ▸ 1 分 30 秒（解答は最短でも 30 秒を目指す）

Talk about a book you read recently.

- What was the title?
- What was it about?
- How did you first hear of it?
- What did you like or dislike about it?

What was the title?

The other day I read a book called *Self-Reliance* by Ralph Emerson, which was written in the 19th century.

How did you first hear of it?

I was interested in this book **because** it was on former President Obama's list of favorite books.

What was it about?

In this book, the author stresses the importance of individualism and encourages people to break free from social conformity and follow their own desires and instincts. This must have been a very different idea from the norm in 19th century America. Emerson believed that people shouldn't be afraid to change their beliefs and should always do what they think is right at any given moment. Life is like a journey, **and** it is natural to feel lost sometimes. **If** the path you take makes sense to you, that's all that matters in the end.

What did you like or dislike about it?

Although the book has been criticized for putting the interests of the individual before the well-being of society, I personally enjoyed it **because** it confirmed my own beliefs about life. (160 ワード、太字は接続表現)

語句　individualism 图 個人主義／conformity 图 適合／instinct 图 本能／in the end 句 結局は／well-being 图 幸福 (な状態)

訳　**(質問)** 最近読んだ本について話してください。
・タイトルは何でしたか？
・何に関する本でしたか？
・最初にその本を知ったきっかけは？
・その本のどこが好きでしたか、嫌いでしたか？
(解答例) 先日、19 世紀に書かれたラルフ・エマーソンの『自己信頼』という本を読みました。この本に興味を持ったのは、オバマ元大統領の愛読書リストに入っていたからです。この本の中で著者は、個人主義の重要性を強調し、社会的適合から脱却して自分の欲望や本能に従うことを奨励しています。これは 19 世紀アメリカの常識とは大きく異なる考え方だったに違いないでしょう。エマーソンは、人は自分の信念を変えることを恐れるべきではなく、その時々に正しいと思うことを常に行うべきだと考えていました。人生は旅のようなもので、時に迷ったように感じて当然です。自分の進む道が自分にとって納得のいくものであれば、結局はそれがすべてなのです。この本は、社会の幸福よりも個人の利益を優先していると批判されていますが、個人的には、人生についての自分の信念を確認することができたので、楽しめました。

Chapter 11

Interactive Reading 攻略

出題形式

1つのパッセージを読み、合計 6 問（5 形式）の問題に解答します。解答方法は「選択肢を選ぶ」「質問の解答に該当する箇所をハイライトする」の 2 タイプがあります。

パッセージはすべて画面表示
されるのでスクロールはなし

0:53

> Jennifer was a senior at the local university, studying urban studies. One day, while she was walking to class, she noticed a large group of urban studies students. Jennifer thought they looked like they were having fun talking about a new club for urban studies. She decided to go to the next meeting to learn more about the club and how she could join. When she arrived, the club members were talking about a fair they wanted to hold for a local charity. Jennifer decided she would help them get the fair started. The club members worked together to help raise funds and plan events for a spring fair. When the weekend of the fair came, it was a huge success and they raised a lot of money for the charity.

Select the best title for the passage.

○ Jennifer and the Club Fair

○ Jennifer Starts a Club

○ The City Fair

○ The Club's First Decision

NEXT

NEXT をクリックし次の質問に移動
すると前の質問には戻れない

● 1 パッセージあたりの解答時間	7 分、または 8 分のいずれか
● パッセージの語数	約 80 〜 160 語（平均 140 語）
● パッセージのタイプ	Expository（学術関連、ニュースなど）、Narrative（小説などのフィクション）
● 問題数	1 パッセージにつき合計 6 問

● 出題頻度	2回（2つのパッセージ [計12問] が連続して出題される）。Expository、Narrative、それぞれ1回ずつのパターンが多いが、Expository が連続することもある
● 問題タイプ	Expository、Narrative いずれのパッセージの場合も問題数（6問）、下記①〜⑤の出題順は同じ

① **Complete the Sentences**

センテンス中の空欄に入るのに最も適切な**単語**を選択肢の中から選ぶ

② **Complete the Passage**

パッセージの空欄に入るのに最も適切な**センテンス**を選択肢の中から選ぶ

③ **Highlight the Answer**

表示される質問に対し、パッセージ中の該当部分をハイライトして解答。1パッセージにつき**2問出題**される

④ **Identify the Idea**

パッセージ**全体、または一部の趣旨**を表す最も適切な**センテンス**を選択肢の中から選ぶ

⑤ **Title the Passage**

パッセージのタイトルとして最も適切なものを選択肢の中から選ぶ

解答時の心構え

　Read and Complete よりは読みやすいパッセージですが、ユニークな質問の形式もあるので、事前に理解を深め解答に臨みましょう。解答済みの問題に戻ることができないため、各問題に費やす時間配分を頭に入れておくことが大切です。また、Identify the Idea や Title the Passage に備え、読解開始時点からパッセージの主題を意識してください。

攻略のポイント

サンプル問題

　以下の問題を本試験と同じ解答時間で解いてみましょう。問題は合計 6 問です。それぞれの問題の解答後は**前の問題に戻れません**ので注意してください (Q.1 の単語選択を除く)。Q.3 と Q.4 は該当箇所に下線を引いてください。　🕐 **解答時間 ▸ 7 分**

Unmanned aerial vehicles (UAVs) have not yet been [1　　　] used in the business [2　　]. However, new technology will likely usher in the first wave of business UAVs. Already, companies are using inexpensive battery-operated UAVs to deliver packages. UAVs have also been [3　　] to deliver aid in emergency [4　　] and to collect environmental data.

＊テスト画面では該当箇所をクリックすると選択肢が表示されます。

Q.1 Select the best option for each missing word.＊

1. recently / further / heard / widely / to

2. model / quarter / world / years / expansion

3. applied / implemented / hired / joined / used

4. requests / situations / order / category / units

＊本試験では指示書きは英文のみです。

Unmanned aerial vehicles (UAVs) have not yet been widely used in the business world. However, new technology will likely usher in the first wave of business UAVs. Already, companies are using inexpensive battery-operated UAVs to deliver packages. UAVs have also been used to deliver aid in emergency situations and to collect environmental data.
[　　　　　　　　　　　　　]
There are already businesses that specialize in the sale and operation of UAVs. These businesses sell the equipment and provide instruction for its safe use. Other businesses are developing their own drones for their own customized purposes.

Q.2 Select the best sentence to fill in the blank in the passage.

(A) Drone technologies have been available, but their potential applications have not been well understood.

(B) They were developed primarily for military purposes in the 1990's.

(C) They may also be used to survey forested areas for signs of fires.

(D) Avionics refers to the science and technology of air, space, and ground vehicles.

Unmanned aerial vehicles (UAVs) have not yet been widely used in the business world. However, new technology will likely usher in the first wave of business UAVs. Already, companies are using inexpensive battery-operated UAVs to deliver packages. UAVs have also been used to deliver aid in emergency situations and to collect environmental data. They may also be used to survey forested areas for signs of fires. There are already businesses that specialize in the sale and operation of UAVs. These businesses sell the equipment and provide instruction for its safe use. Other businesses are developing their own drones for their own customized purposes.

＊テスト画面ではクリック＆ドラッグで該当部分を選択します。本書では下線を引いて解答してください。

Q.3 Click and drag text to highlight the answer to the question below.

How often are unmanned aerial vehicles used today?

Q.4 Click and drag text to highlight the answer to the question below.

What do businesses that specialize in UAVs do?

Unmanned aerial vehicles (UAVs) have not yet been widely used in the business world. However, new technology will likely usher in the first wave of business UAVs. Already, companies are using inexpensive battery-operated UAVs to deliver packages. UAVs have also been used to deliver aid in emergency situations and to collect environmental data. They may also be used to survey forested areas for signs of fires. There are already businesses that specialize in the sale and operation of UAVs. These businesses sell the equipment and provide instruction for its safe use. Other businesses are developing their own drones for their own customized purposes.

Q.5 Select the idea that is expressed in the passage.

(A) Commercial drones are likely to become the next big tech investment, with many firms racing to be the primary provider.

(B) Computer models can also be used to help robots plan surgeries and deliver packages while avoiding obstacles.

(C) UAVs are unmanned vehicles that can be used for applications such as delivering packages or collecting data.

(D) UAVs are currently being evaluated and reviewed for potential regulation in order to avoid and punish misuse.

Q.6 Select the best title for the passage.

(A) Investments in Drone Technology

(B) The Commercial History of the Airplane

(C) Experiments in Aerodynamics and Flight

(D) The Business Uses of Unmanned Aerial Vehicles

Chapter 8
Chapter 9
Chapter 10
Chapter 11 Interactive Reading 攻略
Chapter 12
Chapter 13
Chapter 14

＊右側に示した「ポイント」は後述の「攻略のポイント」に対応しています。

Q.1 1. widely　2. world　3. used　4. situations　　　　→ ポイント2、3

Q.2 (A) Drone technologies have been available, but their potential applications have not been well understood.

(B) They were developed primarily for military purposes in the 1990's.

(C) They may also be used to survey forested areas for signs of fires. 正解

(D) Avionics refers to the science and technology of air, space, and ground vehicles.　　　　→ ポイント4

訳　(A) ドローン技術は、これまでも利用可能でしたが、その潜在的な用途はよく理解されていません。

(B) 1990年代に主に軍事目的で開発されました。

(C) また、森林火災の兆候を調査するために使用されることもあります。

(D) 航空電子工学とは、航空・宇宙・地上の乗り物に関する科学技術のことです。

Q.3 How often are unmanned aerial vehicles used today?

訳　無人航空機は今日どのくらい頻繁に使われますか？

→ Unmanned aerial vehicles (UAVs) have not yet been widely used in the business world.

訳　無人航空機 (UAV) は、まだビジネスの世界では広く使われていません。

Q.4 What do businesses that specialize in UAVs do?

訳　無人航空機を専門とする企業は何をしますか？

→ These businesses sell the equipment and provide instruction for its safe use.

訳　これらの企業は、UAVを安全に利用するための機器を販売し、指導を提供しています。

→ ポイント5、6

Q.5 (A) Commercial drones are likely to become the next big tech investment, with many firms racing to be the primary provider.

(B) Computer models can also be used to help robots plan surgeries and deliver packages while avoiding obstacles.

(C) UAVs are unmanned vehicles that can be used for applications such as delivering packages or collecting data. 正解

(D) UAVs are currently being evaluated and reviewed for potential regulation in order to avoid and punish misuse.

▶ ポイント7

訳　(A) 商業用ドローンは、次の大きな技術投資になる可能性が高く、多くの企業が主要な提供業者になるために競争しています。

(B) コンピューターモデルは、ロボットが手術を計画したり、障害物を避けながら荷物を配送したりするのにも利用できます。

(C) UAV は、荷物の配送やデータ収集などの用途に使用できる無人航空機です。

(D) UAV は現在、悪用されることを避け、罰するため、規制の可能性について評価・検討されています。

Q.6 (A) Investments in Drone Technology

(B) The Commercial History of the Airplane

(C) Experiments in Aerodynamics and Flight

(D) The Business Uses of Unmanned Aerial Vehicles 正解

▶ ポイント8

訳　(A) ドローン技術への投資

(B) 航空機の商業的歴史

(C) 空気力学と飛行の実験

(D) 無人航空機のビジネス利用

語句　**(選択肢)** avionics 图 航空電子工学／ refer 動（to を伴って）～を示す／ firm 图 会社／ provider 图 供給者／ surgery 图 手術／ obstacle 图 障害／ evaluate 動 ～を評価する／ aerodynamics 图 空気力学

全文　Q.3 Unmanned aerial vehicles (UAVs) have not yet been Q.1-1 widely used in the business Q.1-2 world. However, new technology will likely usher in the first wave of business UAVs. Already, companies are using inexpensive battery-operated UAVs to deliver packages. UAVs have also been Q.1-3 used to deliver aid in emergency Q.1-4 situations and to collect environmental data. Q.2 They may also be used to survey forested areas for signs of fires. There are already businesses that specialize in the sale and operation of UAVs. Q.4 These businesses sell the equipment and provide instruction for its safe use. Other businesses are developing their own drones for their own customized purposes.

語句　aerial 形 航空の／ usher 動 (in を伴って) 〜の到来を告げる／ forested 形 森林のある／ specialize 動 (in を伴って) 〜を専門に扱う

訳　無人航空機 (UAV) は、まだビジネスの世界では広く使われていません。しかしながら、新しい技術によって、ビジネス用 UAV の最初の波がやってきそうです。すでに企業は、安価なバッテリーで動く UAV を使い、荷物の配送を行っています。UAV はまた、緊急時に支援物資を送ったり環境データを収集したりするのにも利用されています。また、森林火災の兆候を調査するために使用されることもあります。すでに UAV の販売や運用を専門に行う企業が存在します。これらの企業は、UAV を安全に利用するための機器を販売し、指導を提供しています。カスタマイズされた目的のために独自のドローンを開発している企業もあります。

ポイント1　解答時間の配分

　違いは多々ありますが、「パッセージを読み、問題を解く」という点では Read and Complete と共通しています。Read and Complete の 3 分という解答時間に比べ、Interactive Reading は 7、8 分で、余裕を感じる受験者が多いようです。また、以下の制限が特徴的です。

・画面には 1 問分のみ表示される
　→ **解答を終えないと次の質問に進めない。質問の先読み不可。**

・解答後は前の質問画面には戻れない
　→ 余った時間内での**解答済み問題の見直し不可。**

　特に解答済み問題の見直しができないため、解答時間のすべてを使い切る前提で時間配分をする必要があります。

例　解答時間 7 分の場合

Complete the Sentences ➡ Complete the Passage
　　　　1 分 30 秒　　　　　　　　　　　　2 分

➡ Highlight the Answer (2問) ➡ Identify the Idea ➡ Title the Passage
　　　　　　2 分　　　　　　　　　　　　　1 分　　　　　　　30 秒

Tips 🖙 **それでも時間が余れば休憩時間に使う**
　　　全テスト中、急いで解答すれば時間が余る可能性が最も高い出題形式です。ただ、その場合は p. 013 にあるとおり、急いで次の問題に進むよりも余った時間中に少しでも頭を休ませることをお勧めします (着席し、画面上に顔を映した状態で)。この問題までにテスト開始から約 40 分程度が経過し、自覚はなくとも集中力は落ちています。

ポイント2　不自然な品詞の選択肢を除外する

Q.1 Complete the Sentences

　空欄の単語はパッセージの前半に集中的に出題されます。また、Q.2 の Complete the Passage に関連する**パッセージの後半はこの時点では表示されません。**

空欄の語数	1 パッセージにつき**約 3 〜 11 個**。2 パッセージのうち、一方は空欄が多く、他方は少なくなります。2 パッセージで**合計約 11 〜 15 個**の空欄が出題されます。
解答時間への影響	解答時間の長さはパッセージの語数ではなく、空欄単語の数により決まります。**空欄の語数約 7 個が 7 分と 8 分の境目**となり、7 個未満だと解答時間は 7 分、7 個以上だと 8 分という傾向があります。
使用語彙レベル	前後の単語や文脈などから単語を推測することが重要で、初級〜中級レベルです。Read and Select のような**上級単語は出題されません。**

　TOEIC® L&R Test などほかのテストでは、文脈から適切な単語を選ぶ問題の場合、選択肢の品詞は統一されることが多いですが、DET では混在することもあります。その際はまず「**混在する品詞から不自然な品詞を除外**」しましょう。

Unmanned aerial vehicles (UAVs) have not yet been
Q 1-1 (recently / further / heard / widely / to) used in the
business **Q.1-2** (model / quarter / **world** / years / expansion).

解説　**Q.1-1** センテンス中には過去分詞 used（品詞としては形容詞）があるので、その直前に heard があるのは意味的にも文法的にも不自然です。to は過去分詞 used の前にはきません。この時点で recently、further、widely の副詞 3 つが残ります。recently、further は not yet（まだ〜ない）との組み合わせが不自然です。したがって**正解は widely** で「UAV はまだ**広く使われていない**」となります。

上記の品詞の区別と同時に、コロケーションも意識しましょう。コロケーションとは、単語の慣用的な組み合わせのことで、今回の Q.1-1 における「used と一緒によく使われる副詞は何か?」がこれにあたります。選択肢の中では widely が適切です。

ポイント3　文脈から推測する

　Read and Complete に比べ、空欄単語の配置間隔がかなり大きいので、センテンスの意味の推測はより容易です。文脈を手がかりに単語を選択しましょう。

Unmanned aerial vehicles (UAVs) have not yet been
Q.1-1 (recently / further / heard / **widely** / to) used in the
business **Q.1-2** (model / quarter / **world** / years / expansion).

解説 **Q.1-2** この問題では品詞はすべて同じなので、文脈 (意味) 的に自然なものを選びます。business model (ビジネスモデル：企業が利益を出すための仕組み)、business quarter (四半期)、business expansion (ビジネスの拡大) はそれぞれ英語として存在しますが、意味的に不自然です。**正解は business world (ビジネスの世界)** で「UAV はビジネスの世界においてまだ広く使われていない」となります。

UAVs have also been **Q.1-3** (applied / implemented /hired /
joined / **used**) to deliver aid in emergency **Q.1-4** (requests /
situations / order / category / units) and to collect
environmental data.

解説 **Q.1-3** 主語が UAVs なので人に対して使う hired、計画などに使う implemented は不自然です。applied で迷うかもしれませんがこれは主に「理論、方法、技術」などの抽象的な概念に使われるので、UAV などの物質的なものには不自然です。**正解は used** で、「UAV は支援物資を運ぶためにも**使われている**」となります。
Q.1-4 emergency units (救急センター)、emergency requests (救急要請) などはそれぞれセンテンスの中では意味が不自然です。正解は situations で、「emergency situations (緊急事態)において支援物資を運ぶ」となります。

Tips☞　不正解の単語もフレーズとしては自然

上記の emergency requests や emergency units のように直前 (直後) の単語との組み合わせが自然な場合は珍しくありません。ただ、これだけでは正誤の判断はつかないので、文脈との照らし合わせが必要になります。

Q.2 Complete the Passage

　この問題に進んだ時点で、パッセージ全体（「Q.1 の空欄が正解の単語で埋まった状態の前半」と「パッセージの後半」）が表示されます。空欄 [　　] の中に入る適切な選択肢を選びます。

Q.1 の正解が表示される

Unmanned aerial vehicles (UAVs) have not yet been widely used in the business world. However, new technology will likely usher in the first wave of business UAVs. Already, companies are using inexpensive battery-operated UAVs to deliver packages. UAVs have also been used to deliver aid in emergency situations and to collect environmental data.

UAV の活用例

[(C) They may also be used to survey forested areas for signs of fires.]

UAV 専門企業の存在　*さらなる活用例*

There are already businesses that specialize in the sale and operation of UAVs. These businesses sell the equipment and provide instruction for its safe use. Other businesses are developing their own drones for their own customized purposes.

パッセージ後半が表示される

(A) Drone technologies have been available, but their potential applications have not been well understood.

not been well understood と否定的

(B) They were developed primarily for military purposes in the 1990's.

(D) Avionics refers to the science and technology of air, space, and ground vehicles.

＊Q.1 で正解できなかった単語も、Q.2 の時点では正解が表示されます。

解説　選択肢のセンテンスを当てはめた際、文章が自然な流れになるかどうかを確認する必要があります。**正解の (C)** と前後のセンテンスを合わせると「UAV が今後広く活用され、産業として成長する」という話の流れが自然に理解できます。(A) の Drone は UAV のパラフレーズとしては妥当ですが、内容が「潜在的な用途はよく理解されていない」と否定的で、空欄の前の「UAV の活用例」や空欄のあとの「UAV 専門企業の存在」という前向きな内容とはかなり趣旨が異なります。(B) は military purposes in the 1990's が、(D) は Avionics（航空電子工学）がパッセージ全体で語られている「UAV の活用」からかなりズレています。

Tips 🗣 **挿入センテンスと前後のセンテンスの「主語」にも注目**

前後のセンテンスとの流れの自然さをチェックする際には、「センテンスの主語」が一貫しているかどうかもチェックポイントの１つになりえます。今回は空欄の前のセンテンスの主語が **UAVs**、(C) では代名詞の **They** となって話の一貫性が維持されています。一方、(D) の主語 Avionics は唐突であることがわかります。例外も多々ありますが、解答時の参考にしてください。

ポイント 5　複数のセンテンスで迷う場合は消去法で選ぶ

Q.3 & 4 Highlight the Answer

この問題に進んだ時点で、「Q.2 の挿入センテンス」を含む、パッセージ全体が表示されます。質問に対し、パッセージ中の該当部分をハイライトして解答します。１パッセージにつき出題は **2 問**です。

UAV の普及に関する記載

Q.3 Unmanned aerial vehicles (UAVs) have **not yet been widely used in the business world.** However, new technology will likely usher in the first wave of business UAVs. Already, companies are using inexpensive battery-operated UAVs to deliver packages.

Q.2 で挿入したセンテンスはハイライト箇所から除外される可能性大

UAVs have also been used to deliver aid in emergency situations and to collect environmental data. **They may also be used to survey forested areas for signs of fires.** There are already **businesses that specialize in** the sale and operation of UAVs.

Q.4 にも含まれるフレーズだが、「企業は何をする？」の問いに対して There are 〜の解答は不自然

Q.4 These businesses sell the equipment and provide instruction for its safe use. Other businesses are developing their own drones for their own customized purposes.

主語が These businesses で動詞が sell と provide のこのセンテンスが解答にふさわしい

Q.3 How often are unmanned aerial vehicles used today?
Q.4 What do businesses that specialize in UAVs do?

解説　Q.4 では正解に含まれるのと同じフレーズを含む There are already businesses that specialize in the sale and operation of UAVs. が目に留まるかもしれません。しかし、「UAV の販売や運用を専門に行う企業が**存在する**」という意味なので、質問の「UAV 専門企業は**何をする?**」とはやや合いません。次の These businesses sell the equipment and provide instruction 〜は「企業は**〜する**」という文なのでより適切です。頻出とまではいきませんが、このように複数のセンテンスで迷う場合もありえますので、その際には質問文に対してより自然なセンテンスを選びましょう。

Tips 🖐 ハイライトの除外箇所

正解のハイライト箇所は Q.2 (Complete the Passage) で挿入したセンテンスは除外される傾向があります。例外もありえますが、該当箇所を探す際にはこの点を念頭に置いておきましょう。

ポイント6　ハイライト箇所のパターン

例外もありますが、解答のハイライト箇所は大きく分けて 3 パターンあります。

パターン1　**センテンス全体**（例：サンプル問題の Q.3、Q.4）

パターン2　**名詞句などの特定箇所**

What examples 〜? などの質問文で聞かれる場合、センテンス中の特定の名詞（句）の箇所のみをハイライト

パターン3　**重文・複文の特定の節**

Although S + V, S + V. や S + V, but S + V. のいずれかの S + V をハイライト

Tips 🖐 正解の箇所は「Q.3 が先、Q.4 があと」が頻出パターン

Highlight the Answer の 2 問の解答箇所は問題によりさまざまですが、「順序」に関しては規則性があります。今回のサンプル問題のように Q.3 の該当箇所が先、Q.4 のそれがあとになる傾向が見られます。本書では後出の問題で逆のパターンを 1 問入れてありますが、「よくあるパターン」を頭に入れ、解答箇所を探す際に役立てましょう。

Q.5 Identify the Idea

「**パッセージ全体、または一部の趣旨**」を表す最も適切なものを選択肢4つの中から選びます。「パッセージの詳細」に関するものが出題される可能性もわずかながらありますが、本書では主に出題される「全体の趣旨」を多めに扱います。今回の**正解 (C)** の内容はパッセージでは以下の3箇所に分散されています。

> 主語 (UAVs) は正解 (C) と同じ

Unmanned aerial vehicles (UAVs) have not yet been widely used in the business world. However, new technology will likely usher in the first wave of business UAVs. Already, companies are using inexpensive battery-operated UAVs to **deliver packages**.

> (C) の collecting data とほぼ同じ

> (C) の delivering packages ほぼそのまま

UAVs have also been used to deliver aid in emergency situations and to **collect environmental data**. They may also be used to survey forested areas for signs of fires. There are already businesses that specialize in the sale and operation of UAVs. These businesses sell the equipment and provide instruction for its safe use. Other businesses are developing their own drones for their own customized purposes.

> パッセージに investment (投資) の記述はない

(A) Commercial drones are likely to become the next big tech investment, with many firms racing to be the primary provider.

> 「主要な提供業者になるために競争」の記述はパッセージにない

(B) Computer models can also be used to help robots plan surgeries and deliver packages while avoiding obstacles.

(C) **UAVs are unmanned vehicles that can be used for applications such as delivering packages or collecting data.** 正解

(D) UAVs are currently being evaluated and reviewed for potential regulation in order to avoid and punish misuse.

解説　(A) はパッセージの UAV の活用やビジネスの参入に関する趣旨と近いですが、「投資 (investment)」の記述はパッセージにありません。また、many firms は最終センテンスの Other businesses、その直前のセンテンスの These businesses を合わせたものとする解釈は成立しても、最後の racing to be the primary provider（主要な提供業者になるために競争）はパッセージの内容とは合いません。「企業が存在する」まではパッセージに書かれていますが、「競争する」までは書かれていないからです。(B) は help robots plan surgeries、avoiding obstacles に該当する記述がありません。

Q.1 の Complete the Sentences から Q.3 & 4 の Highlight the Answer までは、質問ごとに解答を考えざるを得ませんが、この Identify the Idea はほぼ毎回「主題は何か?」を問われます。したがって、Q.1 〜 4 を解答しながら、「主題は何か」を常に意識しておくことをお勧めします。なお、選択肢は通常、1 センテンスで構成されていますが、パッセージ中の該当箇所は **1 センテンスの場合もあれば、2、3 センテンスにまたがること**もあります。情報を探す際には注意しましょう。

Tips🖙　**パッセージから「推測」する選択肢は正解にならない**

ほかのテストではパッセージの内容から推測する選択肢が正解になる問題もありますが、DET の Identify the Idea にこの傾向は当てはまりません。あくまでも**「パッセージに書かれている」と認識できるものが正解**になります。サンプル問題のパッセージでは「UAV の活用例、専門企業の存在」までは書かれていますが、「UAV への投資」は書かれておらず、これは「推測」にあたります。なお、選択肢ではパッセージの内容がパラフレーズされている場合もありますが、これと「推測」を混同しないようにしましょう。

ポイント8　**正解は「Identify the Idea と同じ趣旨」の選択肢**

Q.6 Title the Passage

パッセージのタイトルとして最も適切なものを選択肢 4 つの中から選びます。タイトルなので、センテンスではなくフレーズによる選択肢です。

実験は出てこない　　　歴史というほど長期にわたる話ではない

(A) Investments in Drone Technology
(B) The Commercial History of the Airplane
(C) Experiments in Aerodynamics and Flight
(D) **The Business Uses of Unmanned Aerial Vehicles**　正解

解説　Title the Passage と Identify the Idea の選択肢は、**実質同じ**と言ってよいほど内容が近く、違いは解答の長さに過ぎません。
Identify the Idea：長めのフルセンテンス ➡ **Title the Passage**：短めのフレーズ
したがって、Identify the Idea の解答が正解である前提ですが、Identify the Idea と同じ（または似ている）趣旨の選択肢を選ぶのが確実です。

以下には、あるパッセージに対する **Identify the Idea** の正解のみが記載されています。このパッセージに対する最も適切な**タイトルを選択肢の中から選んで**ください。

🕐 解答時間 ▸ 各問 30 秒

1 **Identify the Idea** Race organizers canceled the Philadelphia Marathon, which would have gone through Center City and South Philadelphia.

Title the Passage (A) Philadelphia Marathon Announced For November
(B) Runners Desperate to Avoid Thanksgiving
(C) Philadelphia Marathon Canceled Due to Extreme Weather
(D) Race Cancellation Sparks Drama

2 **Identify the Idea** Mariza had always wanted to go to college and was thrilled when she received her acceptance letter.

Title the Passage (A) Mariza the Admissions Counselor
(B) Mariza's English Test
(C) Mariza's Hardest Class
(D) Mariza Goes to College

練習問題 解答

1

訳 (Identify the Idea)

レース主催者は、センターシティとサウスフィラデルフィアを通るはずだったフィラデルフィアマラソンを中止しました。

(Title the Passage)

(A) 11 月に開催されると発表されたフィラデルフィアマラソン

(B) 感謝祭を避けようと必死のランナーたち

(C) フィラデルフィアマラソン、異常気象のため中止 正解

(D) レース中止がドラマに火をつける

2

訳 (Identify the Idea)

マリーザはずっと大学に行きたいと思っており、合格通知を受け取ったとき感激しました。

(Title the Passage)

(A) 入試カウンセラーのマリーザ

(B) マリーザの英語のテスト

(C) マリーザのいちばん難しい授業

(D) マリーザ、大学へ行く 正解

実力養成問題

以下の問題を本試験と同じ解答時間で解いてください。まずは上段 Set 1 の Q.1 〜 6 を解き、続いて下段 Set 2 の Q.1 〜 6 を解きましょう。Q.3 と Q.4 は該当箇所に下線を引いてください。各質問の解答後は前の質問には戻れません（Q.1 の単語選択を除く）。

解答時間 ▸ Set 1: 7分／Set 2: 8分

Complete the Sentences

Set 1

Jennifer was a senior at the local [1   ], studying urban studies. One day, while she was walking to class, she noticed a [2   ] group of urban studies students. Jennifer thought they [3   ] like they were having fun talking about a [4   ] club for urban studies.

Set 2

Firefighters are the people who fight fires on a [1   ] daily basis. They work for fire departments, which [2   ] organizations of trained professionals that keep the community [3   ] from fires. When a fire [4   ] out, firefighters enter buildings to look [5   ] people and pets, rescue them, and [6   ] out the fire to prevent [7   ] from spreading. They also conduct [8   ] drills and inspections to [9   ] businesses and agencies safe.

Chapter 8

Chapter 9

Chapter 10

Chapter 11

Interactive Reading 攻略

Chapter 12

Chapter 13

Chapter 14

Q.1 Select the best option for each missing word.

1. paper / side / company / city / university
2. large / good / double / quiet / long
3. act / looked / more / talk / just
4. girl / new / no / like

Q.1 Select the best option for each missing word.

1. eventually / nearly / different / non / scarcely
2. has / are / create / means
3. calm / far / home / healthy / safe
4. breaks / sets / deep / lights / fires
5. about / past / their / for / of
6. put / heat / walk / fire / hold
7. disaster / them / life / water / it
8. these / fire / new / alarm / compliance
9. keep / put / show / see / hold

Set 1

Jennifer was a senior at the local university, studying urban studies. One day, while she was walking to class, she noticed a large group of urban studies students. Jennifer thought they looked like they were having fun talking about a new club for urban studies.

[   ]

When she arrived, the club members were talking about a fair they wanted to hold for a local charity. Jennifer decided she would help them get the fair started. The club members worked together to help raise funds and plan events for a spring fair. When the weekend of the fair came, it was a huge success and they raised a lot of money for the charity.

Set 2

Firefighters are the people who fight fires on a nearly daily basis. They work for fire departments, which are organizations of trained professionals that keep the community safe from fires. When a fire breaks out, firefighters enter buildings to look for people and pets, rescue them, and put out the fire to prevent it from spreading. They also conduct fire drills and inspections to keep businesses and agencies safe.

[   ]

They must be physically fit and must be able to work in harsh conditions and difficult situations. In addition to responding to fires, firefighters often help in situations that require medical attention, such as automobile accidents and gas emergencies. Aside from physical skills and knowledge, firefighters also have to have strong social skills, because they must often interact with people during stressful situations.

Q.2 Select the best sentence to fill in the blank in the passage.

(A) The students decided to make a club of their own and they picked urban studies as the subject.
(B) She wanted to feel that she was making a difference, and she wanted to do something with her schoolmates.
(C) She decided to go to the next meeting to learn more about the club and how she could join.
(D) There was a new club in town that made urban studies students think twice about going to class.

Q.2 Select the best sentence to fill in the blank in the passage.

(A) Fire protection is the chief duty of a fire department.
(B) Firefighters must have a variety of skills and knowledge.
(C) Life in a fire department is not always exciting.
(D) A fire detection system monitors for smoke, heat, or movement.

Set 1

Jennifer was a senior at the local university, studying urban studies. One day, while she was walking to class, she noticed a large group of urban studies students. Jennifer thought they looked like they were having fun talking about a new club for urban studies. She decided to go to the next meeting to learn more about the club and how she could join. When she arrived, the club members were talking about a fair they wanted to hold for a local charity. Jennifer decided she would help them get the fair started. The club members worked together to help raise funds and plan events for a spring fair. When the weekend of the fair came, it was a huge success and they raised a lot of money for the charity.

Set 2

Firefighters are the people who fight fires on a nearly daily basis. They work for fire departments, which are organizations of trained professionals that keep the community safe from fires. When a fire breaks out, firefighters enter buildings to look for people and pets, rescue them, and put out the fire to prevent it from spreading. They also conduct fire drills and inspections to keep businesses and agencies safe. Firefighters must have a variety of skills and knowledge. They must be physically fit and must be able to work in harsh conditions and difficult situations. In addition to responding to fires, firefighters often help in situations that require medical attention, such as automobile accidents and gas emergencies. Aside from physical skills and knowledge, firefighters also have to have strong social skills, because they must often interact with people during stressful situations.

Chapter 8

Chapter 9

Chapter 10

Chapter 11

Interactive Reading 攻略

Chapter 12

Chapter 13

Chapter 14

Q.3 Click and drag text to highlight the answer to the question below.

What was Jennifer doing when she heard about the urban studies club?

Q.4 Click and drag text to highlight the answer to the question below.

What did Jennifer do to help the urban studies club?

Q.3 Click and drag text to highlight the answer to the question below.

In addition to knowledge and physical fitness, what other skills are important for firefighters?

Q.4 Click and drag text to highlight the answer to the question below.

What is the main responsibility of a fire department?

＊英文は p. 206 を参照してください。

Set 1

Q.5 Select the idea that is expressed in the passage.

(A) Jennifer was interested in starting up an urban studies club, but she wasn't sure if it was a good idea at first.

(B) The students of the university wanted to create a more exciting and fun club than their urban studies club.

(C) The club was formed by a group of students who were interested in urban studies and wanted to make it more financially viable.

(D) Jennifer decided to join an urban studies club and helped them with a spring fair for a local charity.

Set 2

Q.5 Select the idea that is expressed in the passage.

(A) A fire chief is responsible for ensuring that their fire department protects the lives and property of people in their community.

(B) Firefighters are a relatively young profession and many people in fire departments have only just begun to work as firefighters.

(C) Not every firefighter is employed full-time, which means that they fill the position only when necessary or on a part-time basis.

(D) Firefighters work for fire departments, which are organizations of trained professionals who keep the community safe from fires.

Chapter 8

Chapter 9

Chapter 10

Chapter 11

Interactive Reading 攻略

Chapter 12

Chapter 13

Chapter 14

Title the Passage

＊英文は p. 206 を参照してください。

Q.6 Select the best title for the passage.

(A) Jennifer and the Club Fair
(B) Jennifer Starts a Club
(C) The City Fair
(D) The Club's First Decision

Q.6 Select the best title for the passage.

(A) Smoke Detection Devices
(B) Fire Safety for Building Owners
(C) The Role of Firefighters
(D) The Layout of a Fire Station

解答と解説

① Jennifer was a senior at the local $_{Q.1-1}$ <u>university</u>, studying urban studies. ② One day, while $_{Q.3}$ <u>she was walking to class</u>, she noticed a $_{Q.1-2}$ <u>large</u> group of urban studies students. ③ Jennifer thought they $_{Q.1-3}$ <u>looked</u> like they were having fun talking about a $_{Q.1-4}$ <u>new</u> club for urban studies. ④ $_{Q.2}$ <u>She decided to go to the next meeting to learn more about the club and how she could join.</u> ⑤ When she arrived, the club members were talking about a fair they wanted to hold for a local charity. ⑥ Jennifer decided $_{Q.4}$ <u>she would help them get the fair started.</u> ⑦ The club members worked together to help raise funds and plan events for a spring fair. ⑧ When the weekend of the fair came, it was a huge success and they raised a lot of money for the charity.

Q.1 1. university

2. large

3. looked : they <u>looked more</u> like they were 〜 などはありえますが、more のみだと動詞が不足します。この点は just も同様です。主節の動詞は thought と過去形なので、節内も過去時制にするのが自然ですが、act と talk は現在形で時制が合いません。

4. new : Jennifer の性別は②で she となっていることからも女性であることは明らかですが、このクラブが女性向けであることを示す情報はないので、new がより自然です。

Q.2 (C) : ⑤からジェニファーがクラブを訪れたことがわかります。流れを考えると、クラブのミーティングに行くことを決めたとある (C) が自然です。なお、②からは「授業に向かう途中に都市研究科の学生たちに気づいた」こと、⑤からは「クラブの話し合いに到着した」ことがわかりますが、この 2 つの出来事は別の日（時間帯）である可能性も意識しましょう。

Q.3 she was walking to class : ジェニファーが都市研究クラブについて知ったときのことが書かれた②から、該当箇所のみを選びます。

Q.4 she would <u>help</u> them <u>get</u> the fair started : ジェニファーが都市研究クラブを助けることについて書かれた⑥から、該当箇所のみを選びます。help、get の 2 つの使役動詞が使われています。

Q.5 (D) : (B) の「都市研究クラブよりも楽しいクラブ」については書かれていません。また、クラブについて書かれていることから (C) と迷うかもしれませんが、パッセージにはクラブを経済的に成り立たせたいとは書かれていません。

Q.6 (A)

訳 **（全文）**

ジェニファーは地元の大学で都市研究を学んでいる4年生でした。ある日授業に向かう途中、彼女は大勢の都市研究科の学生たちに気づきました。彼らは都市研究の新しいクラブについて楽しそうに話しているようだとジェニファーは思いました。彼女は、そのクラブについてもっと知り、どうすれば参加できるのかを知るために、次のミーティングに行くことにしました。彼女が到着すると、クラブのメンバーたちは、地元のチャリティーのために開催したいフェアについて話し合っていました。ジェニファーは、そのフェアの立ち上げを手伝うことにしました。クラブのメンバーたちは、協力して春のフェアのための資金集めを助け、イベントを企画しました。そして、週末に行われたフェアは大成功を収め、チャリティーのために多額のお金を集めることができました。

（選択肢、質問）

Q.2 (A) 生徒たちは自分たちでクラブを作ろうと決め、都市研究をテーマに選びました。

(B) 彼女は自分が変化をもたらしていると感じたかったし、学校の仲間と一緒に何かをしたかったのです。

(C) 彼女はそのクラブについてもっと知り、どうすれば参加できるかを知るために、次のミーティングに行くことにしました。 正解

(D) 町に新しいクラブができ、都市研究の生徒に授業に出ることを考え直させました。

Q.3 都市研究クラブのことを聞いたとき、ジェニファーは何をしていましたか？

Q.4 ジェニファーは都市研究クラブのために何をしましたか？

Q.5 (A) ジェニファーは都市研究クラブを立ち上げることに興味がありましたが、最初はそれがいいアイデアかどうかわかりませんでした。

(B) 大学の学生たちは、都市研究クラブよりもエキサイティングで楽しいクラブを作りたかったのです。

(C) このクラブは、都市研究に興味があり、クラブを経済的にもっと成り立つものにしたいと考えた学生たちによって結成されました。

(D) ジェニファーは都市研究クラブに入ることを決め、地元のチャリティーのための春のフェアを手伝いました。 正解

Q.6 **(A) ジェニファーとクラブフェア** 正解

(B) ジェニファーはクラブを始める

(C) シティフェア

(D) クラブの最初の決断

① Firefighters are the people who fight fires on a $_{Q.1-1}$ nearly daily basis. ② They work for fire departments, which $_{Q.1-2}$ are organizations of trained professionals that $_{Q.4}$ keep the community $_{Q.1-3}$ safe from fires. ③ When a fire $_{Q.1-4}$ breaks out, firefighters enter buildings to look $_{Q.1-5}$ for people and pets, rescue them, and $_{Q.1-6}$ put out the fire to prevent $_{Q.1-7}$ it from spreading. ④ They also conduct $_{Q.1-8}$ fire drills and inspections to $_{Q.1-9}$ keep businesses and agencies safe. ⑤ $_{Q.2}$ Firefighters must have a variety of skills and knowledge. ⑥ They must be physically fit and must be able to work in harsh conditions and difficult situations. ⑦ In addition to responding to fires, firefighters often help in situations that require medical attention, such as automobile accidents and gas emergencies. ⑧ Aside from physical skills and knowledge, firefighters also have to have $_{Q.3}$ strong social skills, because they must often interact with people during stressful situations.

Q.1 1. nearly

2. are：「消防署とは組織である (fire departments = organizations)」との趣旨。

3. safe

4. breaks：break out で「(火事などが) 発生する」。set out は「〜を開始する」で、ここでは意味が通りません。

5. for：look about は「周囲を見回す」という意味なのでここでは不適切です。

6. put：put out で「〜を消す」。 hold out against で「〜に抵抗する」という意味がありますが、前置詞の against が不足しています。

7. it：them にすると同じセンテンス内の people and pets を意味することになり、不自然です。

8. fire：fire drill で「消防訓練」

9. keep：hold+ 目的語＋補語の用法もありますが、「〜の安全を守る」という意味で用いられるのは keep 〜 safe。

Q.2 (B)：⑥以降では消防士に求められる事柄が述べられており、その内容に自然につながるのは (B) です。

Q.3 strong social skills：質問が what other skills are important for firefighters? なので、スキルに関するフレーズで解答。

Q.4 keep the community safe from fires：質問のキーワード fire department を含む②に注目。質問が What is ~? なので、センテンス中の記述が keeping the community safe from fires であれば自然ですが、そうではないので、代わりに意味が通じる箇所を選びます。③、④は正解の「地域社会を火災から守る」ことの詳細を説明しています。質問の main responsibility により合致するのが正解の箇所です。

Q.5 (D)：②とほぼ同じ内容で消防士の役割を説明しています。(A) の fire chief (消防署長) はパッセージには登場していません。

Q.6 (C)

訳　（全文）

消防士は、ほとんど毎日のように、火災と闘っている人たちです。彼らは消防署に勤務しています。消防署は訓練を受けたプロたちによる組織で、地域社会を火災から守るために活動しています。火災が発生すると、消防士は建物の中に入って人やペットを探し、救助し、火が燃え広がるのを防ぐために消火活動を行います。彼らはまた、企業や機関の安全を守るため、消防訓練や点検も行います。消防士には、さまざまなスキルと知識が必要です。彼らはまた、身体的に健康でなければならず、過酷な状況や困難な状況下でも働けることが求められます。消防士は、火災への対応だけでなく、自動車事故やガスの緊急事態など、医療行為が必要な状況で力となることも多くあります。また、ストレスの多い状況下で人々とやり取りしなければならないことが多いため、身体的なスキルや知識だけでなく、社会的なスキルも求められます。

（選択肢、質問）

Q.2 (A) 防火は消防署の最大の任務です。

(B) 消防士には、さまざまなスキルと知識が必要です。　正解

(C) 消防署での生活は必ずしもエキサイティングではありません。

(D) 火災探知システムは煙、熱、動きを監視します。

Q.3 消防士には、知識と身体的な健康のほかに、どのようなスキルが必要ですか？

Q.4 消防署の主な仕事は何ですか？

Q.5 (A) 消防署長は、消防署が地域社会の人々の生命と財産を確実に守るようにする責任があります。

(B) 消防士は比較的若い職業であり、消防署の多くの人は消防士として働き始めたばかりです。

(C) すべての消防士がフルタイムで雇用されているわけではないので、必要なときだけ、あるいはパートタイムでその職務に就いているということです。

(D) 消防士は消防署に勤務しています。消防署は訓練を受けたプロたちによる組織で、地域社会を火災から守るために活動しています。　正解

Q.6 (A) 煙感知装置

(B) 建物所有者のための火災安全

(C) 消防士の役割　正解

(D) 消防署のレイアウト

実践問題

最後に以下の問題を解いてみましょう。まずは上段 Set 1 の Q.1 〜 6 を解き、続いて下段 Set 2 の Q.1 〜 6 を解いてください。Q.3 と Q.4 は該当箇所に下線を引いてください。各質問の解答後は前の質問には戻れません（Q.1 の単語選択を除く）。

⏱ 解答時間 ▸ Set 1：8分／Set 2：7分

Complete the Sentences

Set 1

As a [1   ] of mobility, motor vehicles have several [2   ] over other types of transportation, including faster commuting time and improved accessibility for rural communities. However, society's [3   ] of motor vehicles has negative consequences for the planet, [4   ] urban sprawl, air and [5   ] pollution, and increased carbon emissions. This has [6   ] many urban planners to consider creation of alternative forms of [7   ]. Some people have found that cycling is a quicker and safer means of getting around the city than driving a [8   ].

Set 2

When an interior designer was called in to [1   ] plan a motion picture scene, he was very excited and nervous at the same [2   ]. He felt like he [3   ] in his own movie.

Q.1 Select the best option for each missing word.

1. sense / tool / measure / form / driver
2. attributes / roles / qualities / adaptations / advantages
3. model / number / use / removal / driving
4. including / excluding / frustrating / a / primarily
5. rain / fire / wind / space / water
6. led / ordered / attracted / asked / expected
7. cycling / transportation / sport / education / food
8. trolley / cow / car / walk

Q.1 Select the best option for each missing word.

1. repair / limit / his / state / help
2. day / end / people / time / person
3. looked / was / came / be / said

Set 1

As a form of mobility, motor vehicles have several advantages over other types of transportation, including faster commuting time and improved accessibility for rural communities. However, society's use of motor vehicles has negative consequences for the planet, including urban sprawl, air and water pollution, and increased carbon emissions. This has led many urban planners to consider creation of alternative forms of transportation. Some people have found that cycling is a quicker and safer means of getting around the city than driving a car.

[   ]

Society's reliance on motor vehicles is not likely to decrease anytime soon, but with the creation of new forms of transportation, society will be able to reduce its negative impact on the planet.

Set 2

When an interior designer was called in to help plan a motion picture scene, he was very excited and nervous at the same time. He felt like he was in his own movie.

[   ]

But the designer was also nervous because he had to work quickly, and make decisions as quickly as possible. He had been invited to work on the film because of his distinctive yet elegant style. He was glad he could contribute to the film because the interior of the house the film crew was using would be the main setting of the film, and his work would be seen by millions of people.

Q.2 Select the best sentence to fill in the blank in the passage.

(A) One of these issues is the need to find a sustainable way to travel.

(B) Sustainable transportation often includes methods that do not harm the environment.

(C) Urban planners have created special lanes for cyclists to use throughout the city.

(D) Horses and boats were, and still are, other main methods of transportation.

Q.2 Select the best sentence to fill in the blank in the passage.

(A) They hired the designer because they wanted it to be perfect.

(B) Everyone had to be flown in from all over the country.

(C) He was thrilled that his work would be on the big screen.

(D) He left the movie with a huge smile on his face.

Set 1

As a form of mobility, motor vehicles have several advantages over other types of transportation, including faster commuting time and improved accessibility for rural communities. However, society's use of motor vehicles has negative consequences for the planet, including urban sprawl, air and water pollution, and increased carbon emissions. This has led many urban planners to consider creation of alternative forms of transportation. Some people have found that cycling is a quicker and safer means of getting around the city than driving a car. Urban planners have created special lanes for cyclists to use throughout the city. Society's reliance on motor vehicles is not likely to decrease anytime soon, but with the creation of new forms of transportation, society will be able to reduce its negative impact on the planet.

Set 2

When an interior designer was called in to help plan a motion picture scene, he was very excited and nervous at the same time. He felt like he was in his own movie. He was thrilled that his work would be on the big screen. But the designer was also nervous because he had to work quickly, and make decisions as quickly as possible. He had been invited to work on the film because of his distinctive yet elegant style. He was glad he could contribute to the film because the interior of the house the film crew was using would be the main setting of the film, and his work would be seen by millions of people.

Q.3 Click and drag text to highlight the answer to the question below.
What are some of the disadvantages of motor vehicles?

Q.4 Click and drag text to highlight the answer to the question below.
How can society reduce its negative impact on the planet?

Q.3 Click and drag text to highlight the answer to the question below.
What kind of style does the interior designer have?

Q.4 Click and drag text to highlight the answer to the question below.
What role would the designer's work play in the film?

＊英文は p. 218 を参照してください。

Set 1

Q.5 Select the idea that is expressed in the passage.

(A) Society's reliance on motor vehicles has negative consequences for the planet, so urban planners are proposing new forms of transportation.

(B) One way to reduce the negative impact of cars is to invest in autonomous vehicles, which will be able to better optimize transportation.

(C) Electric vehicles offer drivers much faster acceleration than internal combustion engines and help reduce pollution and carbon emissions.

(D) The development of motor vehicles has been an important part of the economy, and society's needs for transportation have remained constant.

Set 2

Q.5 Select the idea that is expressed in the passage.

(A) The designer needs to take advantage of the angles and framing of the set so that it appears larger than it actually is.

(B) The designer was invited to assist with the movie because he was well-known as one of the best in the world.

(C) The designer was excited about working on the film, but nervous about how quickly he had to get everything ready.

(D) The designer didn't want to admit that his designs weren't interesting enough, so he decided not to show them again.

Chapter 8

Chapter 9

Chapter 10

Chapter 11 Interactive Reading 攻略

Chapter 12

Chapter 13

Chapter 14

Title the Passage

＊英文は p. 218 を参照してください。

Q.6 Select the best title for the passage.

(A) Building a Greener City Through Urban Planning
(B) Travel in an Ecologically Sustainable World
(C) Draft Regulations for Vehicle Emissions
(D) Finding Alternatives to Motor Vehicles

Q.6 Select the best title for the passage.

(A) The Terrific Start to a New Movie
(B) Designing a Movie Set
(C) The Extra Cost of Props
(D) Wardrobe Design for a Movie

解答

Set 1 (全文)

① As a $_{Q.1\text{-}1}$ form of mobility, motor vehicles have several $_{Q.1\text{-}2}$ advantages over other types of transportation, including faster commuting time and improved accessibility for rural communities. ② However, society's $_{Q.1\text{-}3}$ use of motor vehicles has negative consequences for the planet, $_{Q.1\text{-}4}$ including $_{Q.3}$ urban sprawl, air and $_{Q.1\text{-}5}$ water pollution, and increased carbon emissions. ③ This has $_{Q.1\text{-}6}$ led many urban planners to consider creation of alternative forms of $_{Q.1\text{-}7}$ transportation. ④ Some people have found that cycling is a quicker and safer means of getting around the city than driving a $_{Q.1\text{-}8}$ car. ⑤ $_{Q.2}$ Urban planners have created special lanes for cyclists to use throughout the city. ⑥ Society's reliance on motor vehicles is not likely to decrease anytime soon, but $_{Q.4}$ with the creation of new forms of transportation, society will be able to reduce its negative impact on the planet.

Q.1 1. form：form of mobility で「移動手段」

2. advantages：have advantages over ~で「~に比べて利点がある」という意味。attributes (特性)、adaptations (適合) では意味が不自然。

3. use

4. including：自動車利用による地球へのマイナスの結果が列挙されており、including が正解。frustrating (いらいらさせる) では意味が通りません。primarily は文法上は使えるものの、使用頻度が including より低くなります。**Complete the Sentences では「文法上は使えるが、正解に比べると使用頻度が低い」という理由で不正解になる選択肢もありえます。**

5. water：air pollution はありますが、wind pollution は不自然です。

6. led：主語の This は車の利用によって地球に悪影響がもたらされることなので、ordered、asked は不自然です。

7. transportation

8. car

Q.2 (C)：③で都市計画者による代替交通手段の話が登場し、④で自転車の利用について述べられていることから、(C) の「都市計画者がサイクリスト向けのレーンを作る」(C) が正解です。

Q.3 urban sprawl, air and water pollution, and increased carbon emissions：②の negative consequences は、質問では disadvantages にパラフレーズされています。

Q.4 with the creation of new forms of transportation：⑥の後半が質問文とほぼ同じ点に着目。

Q.5 (A)：②、③と同じ内容が正解。(B) autonomous vehicles (自動運転車) はパッセージに登場しません。なお、better optimize で「より最適化する」です。(C) の電気自動車、acceleration (加速)、internal combustion engines (内燃機関) も登場しません。

Q.6（D）：Q.5 を短くした内容が正解。alternative は「代替案」。(A) は「都市計画」はよいですが、肝心の自動車に触れていません。(B) の sustainable は「持続可能な」、(C) の draft は「草案の」。

訳　（全文）

　移動手段の一形態として、自動車はほかの交通手段に比べて、通勤時間の短縮や地方コミュニティーへのより便利なアクセスなど、いくつかの利点があります。しかし、社会の自動車利用は、都市のスプロール現象、大気汚染、水質汚染、二酸化炭素排出量の増加など、地球にとってマイナスの結果をもたらしています。このため、多くの都市計画者が代替交通手段の創出を検討しています。自動車で移動するよりも、自転車で移動したほうが街中を動き回るのに速くて安全だと言う人もいます。都市計画者は、サイクリストが利用できる特別なレーンを街中に設けました。社会の自動車への依存がすぐに減ることはないでしょうが、新しい交通手段の創出によって、社会は地球への悪影響を減らせるでしょう。

（選択肢、質問）

Q.2 (A) これらの問題の 1 つは、持続可能な移動手段を見つける必要性です。

　　　(B) 持続可能な交通手段には、環境に害を与えない方法が含まれることがよくあります。

　　　(C) 都市計画者は、サイクリストが利用できる特別なレーンを街中に設けました。　正解

　　　(D) 馬と船は、昔も今もほかの主な交通手段です。

Q.3 自動車のデメリットにはどのようなものがありますか？

Q.4 どうすれば社会は地球への悪影響を減らすことができますか？

Q.5 (A) **自動車に依存した社会は地球に悪影響を及ぼすため、都市計画者は新しい交通手段を提案しています。**　正解

　　　(B) 自動車による悪影響を軽減する方法の 1 つは、交通をより適切に最適化できる自動運転車に投資することです。

　　　(C) 電気自動車は内燃機関よりもはるかに速い加速をドライバーに提供し、公害と二酸化炭素排出の削減に役立ちます。

　　　(D) 自動車の開発は経済の重要な一部であり、交通に対する社会のニーズは不変です。

Q.6 (A) 都市計画による環境に優しい都市づくり

　　　(B) エコロジカルで持続可能な世界の旅

　　　(C) 自動車排出ガス規制案

　　　(D) 自動車の代替手段の模索　正解

Set 2　（全文）

① When an interior designer was called in to $_{Q.1-1}$ help plan a motion picture scene, he was very excited and nervous at the same $_{Q.1-2}$ time. ② He felt like he $_{Q.1-3}$ was in his own movie. ③ $_{Q.2}$ He was thrilled that his work would be on the big screen. ④ But the designer was also nervous because he had to work quickly, and make decisions as quickly as possible. ⑤ He had been invited to work on the film because of his $_{Q.3}$ distinctive yet elegant style. ⑥ He was glad he could contribute to the film because $_{Q.4}$ the interior of the house the film crew was using would be the main setting of the film, and his work would be seen by millions of people.

Q.1 1. help：動詞 plan の前にくる使役動詞として help が正解です。

2. time：at the same time で「同時に」。

3. was：came とすると came in「入場した」となり、意味が不自然。

Q.2 (C)：④で But the designer was also nervous ～ と逆接の But があることから、その前には④とは逆の内容である (C) が入ると自然な流れとなります。なお、(A) の代名詞 They は何を指すかが不明。(D) は映画を見終わったあとの内容です。

Q.3 distinctive yet elegant style：質問文が What kind of style ～? と聞いているので、同じ style が含まれる⑤に注目します。

Q.4 the interior of the house the film crew was using would be the main setting of the film：S＋V が複数含まれる⑥の中から該当箇所を抜き出します。「ポイント 6 ハイライト箇所のパターン」のパターン 3 に該当します。

Q.5 (C)：①と④の内容と合致。(B) で迷うかもしれませんが、「世界最高の一人」とまでは書かれていません。パッセージでは「個性的でありながらエレガントなスタイル」という記述です。また、肝心のデザイナーの心理的な部分の記述が全くありません。

Q.6 (B)：(A) は肝心のデザイナーやデザインに触れていません。(C) の props は「小道具」、(D) の wardrobe は「衣装」。

訳 **(全文)**

あるインテリアデザイナーが映画のワンシーンを企画するのを手伝うために呼ばれたとき、彼はとても興奮し、同時に緊張しました。まるで自分の映画の中にいるような気分でした。自分の作品が大きなスクリーンに映し出されることに興奮したのです。しかし、デザイナーは素早く仕事をし、できるだけ速く決断しなければならないので、緊張もしていました。彼がこの映画に招かれたのは、彼の個性的でありながらエレガントなスタイルが評価されたからです。映画の製作スタッフが使っていた家の内装が映画の主な舞台となり、彼の作品が何百万人もの人々の目に触れることになるため、彼は映画に貢献できることを喜んでいました。

(選択肢、質問)

Q.2 (A) 彼らがそのデザイナーを雇ったのは、完璧を期したかったからです。

(B) 全員が全国から飛行機で来なければなりませんでした。

(C) 彼は自分の作品が大きなスクリーンに映し出されることに興奮していました。 正解

(D) 彼は満面の笑みで映画館を後にしました。

Q.3 そのインテリアデザイナーはどのようなスタイルを特徴としていますか?

Q.4 そのデザイナーの仕事は映画の中でどのような役割を果たすのですか?

Q.5 (A) そのデザイナーは、セットが実際よりも大きく見えるように、セットの角度と構成を利用する必要があります。

(B) そのデザイナーは世界最高のデザイナーの一人としてよく知られていたため、映画の協力に招待されました。

(C) そのデザイナーは映画の制作に興奮していましたが、すべてをどれだけ速く準備しなければならないかについて不安に思っていました。 正解

(D) そのデザイナーは自分のデザインが十分に面白くないことを認めたくなかったので、二度とそれらを公開しないことにしました。

Q.6 (A) 新しい映画の素晴らしいスタート

(B) 映画セットのデザイン 正解

(C) 小道具の追加コスト

(D) 映画の衣装デザイン

Chapter 12

Interactive Listening 攻略

出題形式

会話形式のリスニングとライティングが融合したユニークな問題です。

Step 1

Listen and Respond (4分+α)

「相手の発言を聞く」→「返答として適切な選択肢を選ぶ」を **5回 (まれに6回)** 繰り返し、会話を完成させる

＊次ページで説明するとおり、最初に「自分」の発言を選択肢から選ぶパターンもあります。

Step 2

Summarize the Conversation (1分15秒)

会話の**要約**を書く (会話内容は参照不可)

記入画面

● 出題頻度	1回のテストにつき2回。「学生と教授の会話」「2人の学生の会話」のパターンが1回ずつ、連続して出題されます。受験者はいずれも「学生」の役割で解答します。
● 会話の内容	「教授への質問・相談」「クラスメートへの相談」など、学校生活に関する内容。教授、クラスメートは、男女いずれの場合もあります。
● Listen and Respond の解答手順	Step 1 の Listen and Respond の手順は特殊なので、以下で一度確認しておきましょう。「学生と教授の会話」「2人の学生の会話」の**いずれのパターンでも解答手順は同じ**です。解答時間は4分。この間にすべての「選択肢を選ぶ」プロセスを終える必要があります。**4分を過ぎると解答の途中でも** Summarize the Conversation

(Step 2) の画面に切り替わります。ただし、**音声再生中は時間の カウントはストップ**するので、リスニング音声を含めると実質的な時間は 4 分 30 秒〜 5 分程度になります。

① 「シナリオ」を読む

登場人物やどのような状況での会話かを記した**「シナリオ」**を読みます。語数としては **30 〜 50 ワード程度**。この時点から解答時間 **4 分のカウントダウンが開始**されます。「シナリオ」を読み終わったら、解答を開始します。

② 会話 (解答) を開始

会話は「自分」の発言から始まる場合と「相手」の発言から始まる場合の **2 パターン**があります。

パターン 1 「相手」の発言を再生し、会話を開始

・音声再生は **1 回のみ可能**で、**受験者がクリックして行います**(自動再生ではありません)。

・再生後に表示される選択肢から、「自分」の発言として適切な選択肢を選びます。

・画面下の NEXT をクリックして選択肢を確定すると、「自分」の発言欄に選んだ選択肢と、もし選んだものが不正解の場合は正解の選択肢も表示されます。また、**この時点で「相手」の発言のスクリプトが表示されます。**

・次に再び「相手」の発言を再生します。これを 5、6 回繰り返します。

パターン 2 「自分」の発言を選択肢から選び、会話を開始

・画面下の NEXT をクリックした時点で解答が確定するので、**修正はできません。**

・確定後、「自分」の発言欄には選んだ選択肢と、もし選んだものが不正解の場合は正解の選択肢も表示されます。

・次に「相手」欄にある音声アイコンをクリックし、その発言を再生します(1 回のみ可能)。再生後に選択肢が表示されるので、次の「自分」の発言を選び、NEXT をクリックして解答を確定します。**確定した時点で「相手」の発言のスクリプトが表示されます。**これを 5、6 回繰り返します。

③ 最後の問題

最後の問題に解答すると、次に相手の音声が続くことはあまり多くありません。また、Step 2 の Summarize the Conversation に進むと、Step 1 の Listen and Respond には戻れません。

Tips☞ **困ったときは「シナリオ」「解答済み問題」「音声スクリプト」を参照**
　　　解答時には画面全体が選択肢で占められますが、上にスクロールして**「シナリオ」「解答済み問題」「(相手の発言の) 音声スクリプト」を確認**できます。この点を知らないと、選択肢画面のみを見て考え込むことになり、大変不利です。

解答時の心構え

　ほかの英語テストでは選択肢は 4 つの場合が多いですが、この問題では 5 つの場合や、選択肢の語数が多いものも珍しくなく、Listen and Respond の Respond の部分が意外と難関です。ただし、**解答直後に正解の選択肢が表示される**ので、間違えても動揺せずに進みましょう。Summarize the Conversation はフォーマットを定型化しやすいので、時間を意識しつつ必要最低限の情報を入れることを意識しましょう。

攻略のポイント

以下の問題を本試験と同じようなプロセスで解答してみましょう。

①シナリオを読む、② Question 1 〜 5 について音声を 1 回のみ再生し、適切な選択肢を選ぶ、③ Summarize the Conversation の順で進んでください。前ページの Tips で解説したとおり、「シナリオ」「解答済み問題」「音声スクリプト」は参照可能なので、Question 2 以降で必要な際には、右列の解答済みの部分を参照してください。

⏱ **解答時間 ▶ 5 分***

＊解答時間 4 分に音声再生時間を加えています。

Listen and Respond

You will participate in a conversation about the scenario below.

You have a question for your English literature professor about choosing a topic for your upcoming paper. You're interested in writing about early female writers.

＊本書での解答手順
右列は紙などで隠した状態で音声を再生し、再生後に左列の選択肢から正解を選んでください。解答後、隠していた右列を参照し、音声スクリプトと正解を確認しましょう。

Listen closely! You can only play the audio clips once.

Question 1 of 5
Select the best response.

(A) Hi, Professor. I'm in your English literature class and I had a question about potential research opportunities.

(B) Hi, Professor. I'm in your English class and I wanted to talk about the paper we turned in last week.

(C) Professor, I'm sorry to interrupt, but I wanted to ask you about the final exam next week.

(D) Professor, I wanted to talk to you about the English course I'm teaching this semester.

(E) Hi, Professor. I have a question about the upcoming paper for the English class.

🔊 音声 ▸ 073

> Hello. Come in and have a seat.

正解

(E)　Hi, Professor. I have a question about the upcoming paper for the English class.

Question 2 of 5
Select the best response.

(A) The portrayal of women in the media sounds interesting. I'd like to learn more about that project.

(B) Early female writers. I want to know more about them because I'm thinking about writing my paper on one of them.

(C) One is about the history of poetry and the other is about the psychological effects of writing.

(D) I've read all of their poems and letters that are available, as well as a few biographies. But I need more sources to support my paper.

🔊 音声 ▸ 074

> Sure, what was it about?

正解

(B)　Early female writers. I want to know more about them because I'm thinking about writing my paper on one of them.

Select the best response.

音声 ▸ 075

(A) Can you give me some examples of early female writers?

(B) What was *The Book of the City of Ladies* about?

(C) What are the differences between their writing styles?

(D) I'm interested in doing a study on feminist literature.

(E) Could you give me an example of a different writer?

OK, well let's see. Early female writers were often writing in response to the male-dominated literary tradition. They were interested in exploring new themes and subjects that hadn't been written about before, like the experiences of women and girls.

正解

(A) **Can you give me some examples of early female writers?**

Select the best response.

音声 ▸ 076

(A) Really? What was your favorite part of the class?

(B) Yeah, I love Jane Austen and Charlotte Bronte.

(C) Who is your favorite early female writer?

Well, some early female writers include Anne Bradstreet, who was one of the first published poets in America, and Mary Wollstonecraft, who wrote *A Vindication of the Rights of Woman*.

正解

(C) **Who is your favorite early female writer?**

Select the best response.

♪ 音声 ▸ 077

(A) Yeah, she's my favorite, too. Thanks for all of your encouragement, Professor!

(B) No, that sounds very good to me. I'll take the position! Thank you for talking to me, Professor!

(C) Sounds like her work could be a good topic for my paper. Thanks for discussing this with me!

(D) Yeah, I found a few articles, but I wanted to find some more before I start writing.

That's a tough question. I think Bradstreet is my favorite because she was innovative in her poetry at a time when women weren't really encouraged to write poetry at all. Plus, she did it despite having a very difficult life. She still managed to produce some really beautiful work.

正解

(C) Sounds like her work could be a good topic for my paper. Thanks for discussing this with me!

Summarize the Conversation

Summarize the conversation you just had in 75 seconds.

_____

_____

_____

_____

_____

解答（例）とスクリプト

1. E　2. B　3. A　4. C　5. C

Summarize the Conversation 解答例

上級　I asked my professor to tell me about early female writers as a possible topic for my next paper. He said that they wrote to counter traditions set by male writers. One poet was mentioned as his favorite because she produced unique poems despite her difficult situation. I thought her work would be ideal for my paper.

(57 ワード)

> **訳**　私は今度の論文のテーマとして、初期の女性作家について教授に説明を求めました。教授によると彼女たちは、男性作家が築いた伝統に対抗するために書いたとのことです。困難な状況下で独特な詩を生み出したので、ある女性の詩人が彼のお気に入りだと言っていました。彼女の作品は私の論文に最適だと思いました。

中級　I talked to my professor about early female writers. He liked the poems that one poet wrote in tough times. I think her work could be good for my paper.

(30 ワード)

> **訳**　私は初期の女性作家について教授と話しました。教授はある詩人の書いた詩が好きで、彼女は困難なときにそれらを書きました。彼女の作品は私の論文に向いているかもしれないと思います。

> **語句**　**（シナリオ・相手の発言）** upcoming 形 今度の／ in response to 〜 句 〜に対して／ male-dominated 形 男性優位の／ literary 形 文学の／ explore 動 〜を探求する／ theme 名 テーマ（発音は"スィーム"）／ poet 名 詩人／ vindication 名 擁護、立証／ innovative 形 革新的な／ encourage 動 〜を奨励する

> **訳**　**（シナリオ）** あなたは今度の論文のテーマ選びについて、英文学の教授に質問があります。あなたは初期の女性作家について書きたいと思っています。

> **訳**　**（会話）**
>
> **Question 1**
> **教授**　こんにちは。入って、座ってください。
> **あなた**　こんにちは、教授。英語のクラスの今度の論文のことで質問があります。
>
> **Question 2**
> **教授**　もちろん、何だね？
> **あなた**　初期の女性作家についてです。その中の一人について論文を書こうと思っているので、彼女たちについてもっと知りたいのです。
>
> **Question 3**
> **教授**　わかった、そうだな。初期の女性作家は、男性優位の文学的伝統に対抗して書くことが多かったよ。彼女たちは、女性や少女の経験のような、それまで書かれたことのない新しいテーマや題材を探求することに興味を持っていたんだ。

あなた　初期の女性作家の例をいくつか挙げていただけますか？

Question 4

教授　そうだね、初期の女性作家には、アメリカで最初に出版された詩人の一人であるアン・ブラッドストリートや、『女性の権利の擁護』を書いたメアリー・ウルストンクラフトがいる。

あなた　教授の好きな初期の女性作家は誰ですか？

Question 5

教授　難しい質問だね。ブラッドストリートは、女性が詩を書くことが全く奨励されていなかった時代に、革新的な詩を書いたから好きなんだと思う。それに、彼女はとても困難な人生を送っていたにもかかわらず、それを成し遂げた。それでも彼女は、本当に美しい作品を生み出すことができたんだ。

あなた　彼女の作品は私の論文のよいテーマになりそうです。論文について相談にのっていただきありがとうございます！

語句　**（選択肢）** potential〔形〕可能性のある／ turn〔動〕(in を伴って) 〜を提出する／ semester〔名〕学期／ portrayal〔名〕描写／ poetry（文学の形態としての）〔名〕詩／ psychological〔形〕心理的な／ available〔形〕入手可能な／ biography〔名〕伝記／ encouragement〔名〕励まし

＊選択肢の訳と詳しい解説は p. 234 以降を参照

ポイント1　**解答時間の配分が大切**

　Step 1 Listen and Respond では選択肢を間違っても正解が表示されるので、Step 2 Summarize the Conversation の要約をよい内容に仕上げることは可能です。ただし、リスニング理解の部分はマイナス評価を受けてしまうので、やはりこの段階でより正確に解答することが望まれます。不正解になる理由の１つは、「解答時間を意識しすぎて**慌てて解答する**こと」です。逆に、ゆっくり時間をかけすぎると見直しの時間がとれず、続く要約作成にマイナスの影響があるので、適切な時間配分が望まれます。

　また、要約作成時には Listen and Respond の会話内容を参照できないので、「会話内容の記憶」は必須です。p.227 にあるとおり、**画面は上部にスクロールできるので、原則として、Step 1 の全問解答後にすべての内容を確認してください**。見直しの時間を確保するために、下記の時間配分でシナリオの読解と解答を進めるとよいでしょう。

シナリオを読む＊　10秒　→　解答　3分30秒　→　見直し　20秒

＊シナリオは、解答はもとより要約作成時にも重要な役割を果たすので丁寧に読みましょう。

　１問あたりの解答時間は、質問ごとに各選択肢の語数が違うので一律ではありませんが、解答作業を３分30秒とした場合、１問あたり約35〜40秒が目安です。出題数は画面に表示されます。

　ほかの英語テストでの選択肢形式の問題では、不正解の選択肢は「全体的に違う」「大体合っているが一部決定的に違う」というものが一般的です。しかし、DETではさらに**「間違いと断言はできないが、正解の選択肢のほうがより適切」**というタイプがあり、これが難易度を高めています。サンプル問題の各Questionの選択肢を見ていきましょう。

シナリオ

You ① have a question for your ② English literature professor about choosing a topic for your ③ upcoming paper. You're interested in writing about early ④ female writers.

訳　あなたは今度の論文のテーマ選びについて、英文学の教授に質問があります。あなたは初期の女性作家について書きたいと思っています。

Question 1 of 5

Hello. Come in and have a seat.
こんにちは。入って、座ってください。

③ upcoming paperとはズレがある　　②と合致　　丁寧さを表すため動詞が過去形に

(A) Hi, Professor. I'm in your English literature class and I had a question about potential research opportunities.

(B) Hi, Professor. I'm in your English class and I wanted to talk about the paper we turned in last week.

(C) Professor, I'm sorry to interrupt, but I wanted to ask you about the final exam next week.

(D) Professor, I wanted to talk to you about the English course I'm teaching this semester. ①〜③が合致

(E) Hi, Professor. I have a question about the upcoming paper for the English class. 正解

訳　(A) こんにちは、教授。あなたの英文学のクラスを取っているのですが、研究の可能性に関し質問があったのです。

　　(B) こんにちは、教授。あなたの英語のクラスを取っているのですが、先週提出した論文について話したかったのです。

　　(C) 教授、お邪魔してすみません、来週の期末試験についてお聞きしたかったのです。

　　(D) 教授、今学期私が教えている英語の授業についてお話ししたかったのです。

　　(E) こんにちは、教授。英語のクラスの今度の論文のことで質問があります。

解説 シナリオにある重要ポイントの①〜③を含む (E) が正解ですが、(A) で悩むかもしれません。(A) の動詞がシナリオと異なり、過去形になっているのは問題ありません（丁寧さを表すための過去形、I wanted to ask you 〜のような例です）。しかし、(A) の potential research opportunities（潜在的な研究の機会）と、シナリオの upcoming paper（今度の論文）には違いがあります。よって (A) より (E) のほうが正解としてふさわしい選択肢です。

Tips🖙 **迷う場合は「シナリオや音声と同じ単語の数がより多い選択肢」を選ぶ**

ほかの英語テストの場合、「会話と同じ単語がある選択肢はひっかけ」という傾向が目立ちますが、DET ではこの可能性はやや低くなります。確信を持って選べる選択肢を優先しつつ、もし確信が持てない場合は最後の手段としてこの方法も試してみましょう。

Question 2 of 5

Sure, what was it about?
もちろん、何だね？

「メディアにおける女性の描写」を「④ female writers」と同一視するのは無理

(A) <u>The portrayal of women in the media</u> sounds interesting. I'd like to learn more about that project.

(B) **Early female writers. I want to know more about them because I'm thinking about writing my paper on one of them.** 正解

(C) One is about the history of poetry and the other is about the psychological effects of writing.

会話の初めから代名詞 their は不自然

(D) I've read all of <u>their poems and letters</u> that are available, as well as a few biographies. But I need more sources to support my paper.

訳 (A) メディアにおける女性の描写は面白そうですね。そのプロジェクトについてもっと知りたいです。
(B) **初期の女性作家についてです。その中の一人について論文を書こうと思っているので、彼女たちについてもっと知りたいのです。**
(C) 1つは詩の歴史について、もう1つは書くことの心理的効果についてです。
(D) 入手可能な彼女たちの詩や手紙はすべて読んで、伝記もいくつか読みました。しかし、私の論文を裏付けるためにもっと資料が必要です。

解説 (B) の Early female writers、writing my paper は**シナリオと合致**しています。(A) の The portrayal of women in the media は、「女性作家」のパラフレーズにしては差が大きすぎます。また、第2センテンスの「そのプロジェクト」も不自然です。シナリオを読み、論文のテーマ「初期の女性作家」を認識している受験者にとって、(D) の their poems は一見自然かもしれません。しかし、学生の頭の中にあるとはいえ、**それまでの会話で early female writers が出てきていない時点で突然 their という代名詞を使うのは不自然です。**

Tips☞ Question 1 ～ 3 の最大のヒントは「シナリオ」

Question 1 は唯一のヒントであるシナリオに合致する選択肢が正解でした。シナリオがヒントになる問題は Question 3 まで続くことがあります。したがって、相手の発言の音声に注意を払いつつも、**「シナリオの趣旨に最も近い内容の選択肢」**を選ぶことを意識しましょう。

Question 3 of 5

OK, well let's see. Early female writers were often writing in response to the male-dominated literary tradition. They were interested in exploring new themes and subjects that hadn't been written about before, like the experiences of women and girls.
わかった、そうだな。初期の女性作家は、男性優位の文学的伝統に対抗して書くことが多かったよ。彼女たちは、女性や少女の経験のような、それまで書かれたことのない新しいテーマや題材を探求することに興味を持っていたんだ。

会話の主題 (**early female writers**) に言及しつつ、具体的な作家の例を質問

(A) Can you give me some examples of early female writers? 正解

(B) What was *The Book of the City of Ladies* about?

(C) What are the <u>differences between their writing styles</u>?

(D) I'm interested in doing a study on feminist literature.

(E) Could you give me an example of a different writer?

具体的な作家名が出たあとに聞くのが自然な内容

訳 (A) 初期の女性作家の例をいくつか挙げていただけますか？
(B) 『女の都』とはどのような内容でしたか？
(C) 彼女たちの文体の違いは何ですか？
(D) フェミニズム文学について研究したいと思っています。
(E) 別の作家の例を教えていただけますか？

解説 教授の発言は初期の女性作家がよく書いたテーマに関してですが、まだ具体的な作家名が出ていません。学生の論文には当然、具体的な作家に関する記述が必要なので、この点を聞いている (A) がベストです。(C) で迷うかもしれませんが、「彼女たちの文体の違いは何ですか？」と聞くのは**具体的な作家名が出たあと**でないと自然とは言えません。したがって、「**間違いと断言はできないが、正解の選択肢のほうがより適切**」であることから、(A) が正解です。(E) はやはり具体的な作家名が出ていない時点では不自然です。

Tips☞ 「内容が正しくても発言のタイミングが変」な選択肢に注意

上記の (C) What are the differences between their writing styles? は事前に early female writers の作家名に関する発言があれば、正解の可能性のあるものでした。このタイプの誤答の選択肢はほかのテストではあまり見かけません。なお、Question 2 の (D) も同じタイプの選択肢でした。**会話を読む際には「2 名のうちの誰が、どこまでの情報を知っているか？」**という点も意識し、解答に生かしましょう。

> Well, some early female writers include Anne Bradstreet, who was one of the first published poets in America, and Mary Wollstonecraft, who wrote *A Vindication of the Rights of Woman*.
> そうだね、初期の女性作家には、アメリカで最初に出版された詩人の 1 人であるアン・ブラッドストリートや、『女性の権利の擁護』を書いたメアリー・ウルストンクラフトがいる。

(A) Really? What was your favorite part of the class?

(B) Yeah, I love Jane Austen and Charlotte Bronte.

(C) **Who is your favorite early female writer?** 正解

> 訳　(A) 本当ですか？　授業で一番好きだったのは？
> 　　(B) ええ、ジェーン・オースティンとシャーロット・ブロンテが大好きです。
> 　　**(C) 教授の好きな初期の女性作家は誰ですか？**

> 解説　Question 3 で具体的な作家名を尋ねたので、教授から作家名についての言及があります。学生の好きな作家を問われているわけではないので (B) は不自然です。

> That's a tough question. I think Bradstreet is my favorite because she was innovative in her poetry at a time when women weren't really encouraged to write poetry at all. Plus, she did it despite having a very difficult life. She still managed to produce some really beautiful work.
> 難しい質問だね。ブラッドストリートは、女性が詩を書くことが全く奨励されていなかった時代に、革新的な詩を書いたから好きなんだと思う。それに、彼女はとても困難な人生を送っていたにもかかわらず、それを成し遂げた。それでも彼女は、本当に美しい作品を生み出すことができたんだ。

> これまでの教授の発言に「励まし」にあたるものはない

(A) Yeah, she's my favorite, too. Thanks for all of your <u>encouragement</u>, Professor!

(B) No, that sounds very good to me. I'll take the position! Thank you for talking to me, Professor!

(C) **Sounds like her work could be a good topic for my paper. Thanks for discussing this with me!** 正解

(D) Yeah, I found a few articles, but I wanted to find some more before I start writing.

> 訳　(A) ええ、彼女も私のお気に入りです。励ましをありがとうございます、教授！
> 　　(B) いいえ、とてもいいと思います。そのポジションをお引き受けします！ 声をかけてくれてありがとうございます、教授！

(C) 彼女の作品は私の論文のよいテーマになりそうです。論文について相談にのっていただきありがとうございます！

(D) ええ、いくつか記事を見つけたのですが、書き始める前にもう少し探したかったのです。

> **解説** シナリオでは「初期の女性作家に興味があり、論文を書くつもり」とあるので、(A) は一見、教授の発言に対する反応としては自然です。しかし、これまでの教授の発言に「励まし」にあたるものはありません。したがって内容的に矛盾のない (C) が正解です。

ポイント3　Summarize the Conversation での語数と文法・語彙の重要性

「ワード数は多め」「文法・語彙は上級レベル」の両方を実現できればよいのですが、それが難しい場合は、「ワード数を多く書くこと」を優先しましょう。

ポイント4　要約でのパラフレーズは書くペースが落ちない程度に

一般的な英文ライティングは元の文章と同じ語句の使用を避け、積極的にパラフレーズすることが推奨されます。しかし、この Summarize the Conversation の要約作成時には Listen and Respond の会話が参照できないので、一語一句同じように書くことは環境上困難です。結果として**「記憶を頼りに文章を自分なりに再現する」**ことになります。したがって、意図的なパラフレーズは、書くペースが落ちない範囲でできれば十分です。また、変えると不自然になる部分を無理に変える必要もありません。

ポイント5　全体構成の理解

要約は一般的に「元の文章を知らない人に**最低限の内容**が伝わる」点が前提で、これは DET でも同様です。また、**受験者の個人的な意見は一切入れない**ように注意しましょう。Summarize the Conversation では解答時間が短いので、事前に要約の基本構成を理解し、それに当てはめながら即座に書き始めることが重要です。サンプル問題の解答例は以下の 3 つの部分に分けることができます。

> **概要** I asked my professor to tell me about early female writers as a possible topic for my next paper. **相手の発言** He said that they wrote to counter traditions set by male writers. One poet was mentioned as his favorite because she produced unique poems despite her difficult situation. **自分の発言** I thought her work would be ideal for my paper.

　これは基本形です。会話の内容によっては「相手の発言」と「自分の発言」の記載順が逆になったり、「相手の発言」と「自分の発言」が混在したりすることもあります。

　相手と自分との発言のやり取りは 5、6 回程度繰り返されますが（例外もあります）、要約では原則**それぞれの発言は 1 か所に集約**する点を意識しましょう。要約上で「相手の発言」と「自分の発言」をやり取りどおりに交互に再現すると、中途半端な内容の時点で時間切れになる可能性が高まります。

　また、シナリオで受験者のことが You で示されているので、自分のことは The student ではなく I と書きましょう。

Tips🖙　出題される 2 問のうち、教授との会話が必ず 1 問あるので professor は常にスペルミスなしで書けるようにしておきましょう。また、サンプル問題のシナリオでは English literature professor となっていますが、教授の専門分野はその後の内容で判断できる場合も多々あるため、要約では my professor と簡略化し、時間を節約しましょう。

ポイント6　時制は過去形を軸に

　シナリオは You have a question 〜となっていますが、要約では I asked my professor to 〜 と過去形になっています。原則、「教授（友人）が〜と言った」という文の動詞は過去形にします。動詞のあとに続く節内の動詞は「現在も事実である事柄」「普遍的な事実（自然現象など）」の場合は現在形になります。

Tips🖙　**書き出しの定番フレーズ**
　会話の展開は「相談」か「質問」のいずれかである場合が大半なので、以下のパターンで書き始めることができます。
　I asked my professor to 〜 / I was talking with my friend (classmate) about 〜

ポイント7　「概要」はシナリオをまとめて完成

　要約の冒頭（概要）は「**シナリオをまとめて会話の状況設定を説明する**」のが効率的です。結果としてここを読めば「誰と誰の話?」「何についての話?」を容易に理解できる文章になります。

You have a question for your English literature professor about choosing a topic for your upcoming paper. You're interested in writing about early female writers.

I asked my professor to tell me about early female writers as a possible topic for my next paper.

＊ 解答時間がタイトなので、「概要」はできれば 1 センテンス、長くても 2 センテンスで終わらせましょう。

＊ パラフレーズは upcoming paper をシンプルな next paper に。話のテーマである early female writers はパラフレーズなしでそのままになっています。

Tips 🖙 **シナリオの内容の記憶が重要**

要約作成の段階ではシナリオを参照できないので、シナリオの内容をしっかり覚えておきましょう。

ポイント 8 　「相手／自分の発言」 のまとめ方

「概要」を記述し、少ない残り時間で「相手／自分の発言」を書くためのポイントを事前に理解しておきましょう。

相手の発言 He said that they wrote to counter traditions set by male writers. One poet was mentioned as his favorite because she produced unique poems despite her difficult situation. 自分の発言 I thought her work would be ideal for my paper.

1 He [She] said ～の繰り返しを避ける

「相手の発言」の 1 センテンス目が He said that ～なので、理屈上は 2 センテンス目を He [The professor] also mentioned that ～とすることは可能ですが、この長さの文章であれば同じ人物の発言と自然に理解可能ですし、時間の節約の点やさまざまな文法を使いこなせているかといった点からも He [She] said 抜きのセンテンスで書くことを意識しましょう。

2 要約する量の配分

2 者の発言を要約する割合は「半分ずつ」といった決まりはありませんが、質問 (相談) する側である自分と、答える (アドバイスを与える) 側である相手を比較した場合、サンプル問題の解答例のように、必然的に後者の量がやや多くなる傾向があります。

3 疑問文になっている「自分の発言」は省略する

　サンプル問題の会話では、Question 3 と 4 は「自分の発言」が質問になっています。それぞれのあとには当然、回答が続きますが、**要約に「質問と回答」の両方を入れるのは解答時間上、無理**があります。質問より回答である「具体的な女性作家」や「教授の好きな女性作家」が重要であることは明白です。したがって、解答例の要約では**質問を省略し、それに対する回答のみを「相手の発言」に書いています**。この手法はほかの問題に対しても有効です。

> Question 4 と重なる部分もあるので省略

Question 3 Can you give me some examples of early female writers?
Question 4 Who is your favorite early female writer?

> 回答は「相手の発言」に記入済み

相手の発言 He said that they wrote to counter traditions set by male writers. One poet was mentioned as his favorite because she produced unique poems despite her difficult situation.

Tips 🖙　**固有名詞は言い換え可能な場合もある**

　音声では教授の好きな詩人として Anne Bradstreet が挙げられていましたが、要約では One poet と言い換えられています。記憶できればそれに越したことはないものの、記憶するのが困難な場合、このように通常の名詞に置き換えることも可能です。芸術関連の作品名の場合も、言及する必要がある際には novel、book などと言い換えることができます。

以下の2問を解いてみましょう。①シナリオを読む、② Question 1 〜 5 について音声を1回のみ再生し、適切な選択肢を選ぶ、③ Summarize the Conversation の順で進んでください。要約は一部記入済みなので、下線部に書き込んで完成させてください。

🕐 **解答時間 ▶** **1** 5分45秒
(Listen and Respond は4分30秒*、Summarize the Conversation は1分15秒)
2 5分55秒
(Listen and Respond は4分40秒*、Summarize the Conversation は1分15秒)
＊解答時間4分に音声再生時間を加えています。

1

Listen and Respond

You will participate in a conversation about the scenario below.

You are a student who is interested in research, and you would like to know if there are any opportunities to work as a lab assistant in the Language and Memory Lab. The professor is in the Linguistics department and they are doing research on second language acquisition.

＊右列は紙などで隠した状態で音声を再生し、再生後に左列の選択肢から正解を選んでください。解答後、隠していた右列を参照し、音声スクリプトと正解を確認しましょう。

Listen closely! You can only play the audio clips once.

Question 1 of 5
Select the best response.

(A) Hi, Professor. I saw a job posting for a research assistant and I was wondering if it would be a good idea for me to apply.

(B) Professor, I'm a student in your department and I wanted to ask you about your research.

(C) Hi, Professor. I wanted to ask if you knew of any opportunities to work as a lab assistant in the Language and Memory Lab.

(D) Hi, Professor. I'm a student in the Finance department and I wanted to know if there are any openings for part-time jobs in the department.

(E) Hi, Professor, I was wondering if you knew of any openings for research assistants in the East Asian History department.

Hi there! What can I do for you?

正解

(C) Hi, Professor. I wanted to ask if you knew of any opportunities to work as a lab assistant in the Language and Memory Lab.

(A) Yes, I am! I'm very interested in linguistics research and I would love to work in your lab.

(B) Yes, I've taken a few courses and ever since I started college, I have been very interested in the subject.

(C) Yeah, I've done some extensive reading on the topic and I think it's really interesting.

(D) Oh, OK. Could you tell me what kind of research you are working on right now?

We're actually looking for a lab assistant right now. Are you interested?

正解

(A) **Yes, I am! I'm very interested in linguistics research and I would love to work in your lab.**

(A) That's right.

(B) I'm a student.

(C) OK, I'm done.

(D) Yes, I am.

Great! We'll need someone who can help with data collection and analysis. Are you familiar with Excel?

正解

(D) **Yes, I am.**

(A) Yes, definitely! Thank you so much.

(B) That sounds really interesting!

(C) Yes, I'm taking three classes.

(D) Yes, I am available for that.

(E) That would be great, thank you!

That's great. We'll also need someone who is able to commit for at least 10 hours a week. Are you available for that?

正解

(D) **Yes, I am available for that.**

(A) Yes, absolutely! I'm available to answer questions later today or tomorrow.

(B) Yes, I'm still interested! Thank you so much for this opportunity!

(C) Yes, definitely! Thanks for giving me the opportunity to do this independent study.

(D) Yes, definitely. Thank you for giving me the opportunity to take the class.

Excellent! We'll have an opening starting next week if you're still interested.

正解

(B) Yes, I'm still interested! Thank you so much for this opportunity!

Summarize the Conversation

Summarize the conversation you just had in 75 seconds.

下線部に書き込んで要約を完成させましょう。

概要 I asked my professor _____

_____

相手の発言 He said he was looking for _____

_____

自分の発言 Since I met all the requirements, I secured _____

_____

解答（例）とスクリプト・解説

　1. C　　2. A　　3. D　　4. D　　5. B

Summarize the Conversation 解答例

概要 I asked my professor if there was an opening for an assistant in his language lab.

相手の発言 He said he was looking for someone who can collect data, knows Excel well, and can work for at least 10 hours a week.

自分の発言 Since I met all the requirements, I secured the position and will start working next week.

(56 ワード)

訳 **（要約）** 教授に、彼の言語学研究室で助手の空きがあるかどうかを尋ねました。教授によると、データ収集のスキルがあり、エクセルの知識が豊富で、週 10 時間以上の勤務が可能な人を探しているとのことでした。すべての条件を満たしていた私は、その職を確保し、来週から働けることになりました。

Tips 🖙　性別表記について

音声を聞けば教授は男性とわかり、要約も he となっていますが、シナリオでは they are doing research ～となっています。自分の教授、クラスメートであれば性別は知っているはずであるものの、この出題形式においては、会話が始まる前のシナリオの時点では性別に関して明記されず、they、their、them として記載されることがあります（単数の they〈singular they〉）。また、会話で第三者に関する言及がある場合も同様です。なお、要約では he、she を使ってかまいません。

語句 **（シナリオ・相手の発言）** lab 名 研究室（laboratory の短縮形）／ linguistics 名 言語学／ commit 動 身を投じる／ opening 名 仕事の空き

訳 **（シナリオ）** あなたは研究に興味がある学生で、言語記憶研究室で研究助手として働く機会があるかどうか知りたいと思っています。教授は言語学部で、第二言語習得の研究をしています。

訳 **（会話）**

Question 1

教授　こんにちは！　何かご用ですか？

あなた　こんにちは、教授。言語記憶研究室で研究助手として働く機会についてご存じかどうか、お聞きしたかったのです。

Question 2

教授　実は今、研究助手を探しているんです。興味はありますか？

あなた　はい、興味があります！　言語学の研究にとても興味があるので、ぜひあなたの研究室で働きたいです。

Question 3

教授　いいですね！　データの収集と分析を手伝ってくれる人が必要です。エクセルは使えますか？

あなた　はい。

Question 4

教授　それは素晴らしい。また、少なくとも週に10時間働ける人が必要です。その時間は取れますか？

あなた　はい、可能です。

Question 5

教授　素晴らしい！　もしまだ興味があるなら、来週から空きがありますよ。

あなた　はい、まだ興味があります！　このような機会をいただき、どうもありがとうございます！

語句　**（選択肢）** job posting 图 求人票／ extensive reading 图 多読／
independent study 图 自主研究

訳　**（選択肢）**

Question 1

(A) 教授、こんにちは。研究助手の求人票を見たのですが、応募してもよろしいでしょうか。

(B) 教授、私はあなたの学部の学生ですが、あなたの研究についてお聞きしたいと思いました。

(C) こんにちは、教授。言語記憶研究室で研究助手として働く機会についてご存じかどうか、お聞きしたかったのです。 正解

(D) こんにちは、教授。私はファイナンス学部の学生ですが、学部内でアルバイトの募集がないか知りたかったのです。

(E) こんにちは、教授。東アジア史学部で研究助手の募集がないかご存じでしょうか。

Question 2

(A) はい、興味があります！　言語学の研究にとても興味があるので、ぜひあなたの研究室で働きたいです。 正解

(B) はい、いくつかのコースを受講したことがありますし、大学に入学して以来、このテーマにとても興味を持っています。

(C) ええ、このトピックについて幅広く読みましたし、本当に面白いと思っています。

(D) そうですか。今、どのような研究をされているのか教えていただけますか？

Question 3

(A) そのとおりです。

(B) 学生です。

(C) OK、終わりました。

(D) はい。 正解

Question 4

(A) はい、間違いありません！　どうもありがとうございました。

(B) 本当に面白そうですね！

(C) はい、3クラス受講します。

(D) はい、可能です。 正解

(E) それはいいですね、ありがとうございます！

Question 5

(A) はい、もちろんです！　今日このあとか明日、質問に答えることができます。

(B) はい、まだ興味があります！　このような機会をいただき、どうもありがとうございます！ 正解

(C) はい、もちろんです！　この自主研究の機会を与えてくれてありがとうございます。

(D) はい、もちろんです。授業を受ける機会を与えてくれてありがとうございます。

解説　**(Listen and Respond)** Question 1 (A) に含まれる「job posting（求人票）」はシナリオに記載がありません。Question 2 (B)(C) も迷う可能性があるものの、(A) の「言語学の研究に興味がある。研究室で働きたい」がよりシナリオに合致しています。

Listen and Respond

You will participate in a conversation about the scenario below.

You and your classmate are working together on a research paper for your History of the English Language class. You have to finish the paper this week and are meeting to discuss how you can get it done in time.

Question 1 of 6
Pick the best option to start the conversation.

(A) Not too bad. I'm just a little stressed about our research paper.

(B) I can't believe we only have a week left to complete our research paper.

(C) I know, and we're no closer to finishing than we were when we started.

(D) This project is due in two weeks and we've barely started.

正解

(B) I can't believe we only have a week left to complete our research paper.

Question 2 of 6
Select the best response.

(A) Yeah, I need to manage my time better so we can finish this research paper on time.

(B) I can't believe we have to write another paper on time management, that's basically my life.

(C) Not too bad. I've been really busy with classes and research and I'm starting to feel overwhelmed.

(D) I've been meaning to ask, how do you manage your time with research and everything else?

🔊 音声 ▸ 083

I know, time has really gotten away from me. I've been so busy with my classes and other things that I haven't had as much time to work on this as I wanted to.

正解

(A) Yeah, I need to manage my time better so we can finish this research paper on time.

Select the best response.

(A) Yeah, that could work. But with classes and other obligations, it's hard to say how much time we'll actually have each week.

(B) Yeah, that's a good idea. But it's hard when things come up at the last minute or run over time, like our acting class today.

(C) Yeah, that was supposed to be a short class today, but the professor wanted us to stay longer and work on our scenes.

(D) Yeah, that might work. Or maybe I could skip some of the readings for the project and just focus on the ones that are most important?

(E) Yeah, let's divide the work today. We can figure out which sections of the research paper we each want to work on.

I know what you mean. But we can do it if we work together.

正解

(E) Yeah, let's divide the work today. We can figure out which sections of the research paper we each want to work on.

Select the best response.

(A) OK. Then we can write the conclusion together.

(B) OK, let's try to cut back our hours on the project then.

(C) OK, let's start with the literature review then.

(D) We'll have to make sure we use our time as efficiently as possible.

(E) So maybe what we need is a flexible schedule that can change.

That sounds like a good idea. I'll write the introduction and the literature review if you write the methods and results sections.

正解

(A) OK. Then we can write the conclusion together.

Question 5 of 6
Select the best response.

(A) Me neither. But we're almost done, we can just work hard and finish this project. Then we'll have more time for the other things that we're working on.

(B) Yeah, that might work too. We can meet up in the morning and take a break in the afternoon and do our own thing and then meet up again later in the day.

(C) OK, that sounds like a good idea. Let's see...we have class from 9-10 a.m. so that leaves us with two hours every day that we could use for research.

(D) Yeah, I know. But if we focus on one thing at a time and collaborate on the conclusion, we can get everything done by Friday.

> Yeah, that makes sense. But it's still going to be really tough to get it finished on time.

正解

(D) **Yeah, I know. But if we focus on one thing at a time and collaborate on the conclusion, we can get everything done by Friday.**

Question 6 of 6
Select the best response.

(A) That sounds great! Welcome aboard!

(B) Wednesday works for me. See you then!

(C) Alright great, let's get to work.

(D) Nice work! OK, next question.

(E) Yeah, yeah. I'll hurry up, then.

> That sounds like a good plan. Let's try it and see how it goes!

正解

(C) **Alright great, let's get to work.**

Summarize the Conversation

Summarize the conversation you just had in 75 seconds.

下線部に書き込んで要約を完成させましょう。

概要 I met my classmate to _____

_____

相手の発言 She said that _____

_____

自分の発言 I suggested that _____

_____

解答（例）とスクリプト・解説

Listen and Respond 解答

1. B　2. A　3. E　4. A　5. D　6. C

Summarize the Conversation 解答例

概要 I met my classmate to discuss our upcoming research paper for our History of English class, which is due this week.

相手の発言 She said that she was very busy with her other schoolwork and things.

自分の発言 I suggested that we divide the work, focus on specific sections, and write the conclusion together, to which she agreed.

(54 ワード)

訳 **（要約）** 今週締め切りの英語史の授業の研究論文について話し合うため、クラスメートに会いました。彼女はほかの学業やほかのことでとても忙しいと言っていました。私は、作業を分担して特定のセクションに集中し、結論を一緒に書くことを提案し、彼女は同意しました。

語句 **（相手の発言）** see how it goes 〔句〕様子を見る

訳 **（シナリオ）** あなたとクラスメートは、英語史の授業で研究論文を一緒に書いています。今週中に論文を完成させなければならず、会って期限内に終える方法を話し合っています。

訳 **（会話）**

Question 1
あなた　研究論文を完成させるのに、あと1週間しかないなんて信じられない。

Question 2
クラスメート　そうなのよね、時間がたつのが本当に早いわ。授業やほかのことで忙しくて、これに取り組む時間が思うように取れなかったの。
あなた　そうだね、期限内にこの研究論文を仕上げるために、もっとうまく時間を管理しないといけないね。

Question 3
クラスメート　言いたいことはわかるわ。でも、2人で協力すればできるわよ。
あなた　そうだ、今日は作業を分担しよう。それぞれが研究論文のどの部分を担当するか考えよう。

Question 4
クラスメート　それがいいわ。あなたが方法と結果のセクションを書くなら、私は序論と文献レビューを書くわ。
あなた　わかった。じゃあ、結論を一緒に書こう。

Question 5
クラスメート　うん、それがいいわね。でも、それでも時間内に仕上げるのは本当に大変よ。
あなた　そうだね。でも、一度に1つのことに集中して結論を一緒に書けば、金曜日までにすべてを終わらせることができるよ。

Question 6

クラスメート　それはいいプランね。どうなるかやってみましょう！

あなた　　　　よし、いいね、取りかかろう。

語句　**(選択肢)** not too bad 句 まあまあよい／ barely 副 ほとんど〜ない／ overwhelm 動 〜を圧倒する／ obligation 名 義務／ come up 句 (事態が) 発生する／ the last minute 句 直前になって／ run over time 句 時間が超過する

訳　**(選択肢)**

Question 1

(A) 悪くない。ただ、論文のことで少しストレスを感じているよ。

(B) 研究論文を完成させるのに、あと 1 週間しかないなんて信じられない。 正解

(C) わかっているけど、始めたときと同じで、完成に全然近づいていない。

(D) このプロジェクトの締め切りは 2 週間後なのに、まだほとんど着手していない。

Question 2

(A) そうだね、期限内にこの研究論文を仕上げるために、もっとうまく時間を管理しないといけないね。 正解

(B) 時間管理についてまた論文を書かなければならないなんて信じられない。それってもう自分の日常だよ。

(C) 悪くない。授業と研究で本当に忙しくて、圧倒されそうだ。

(D) ずっと聞こうと思っていたんだけど、研究とかほかのこととか、どうやって時間管理しているの？

Question 3

(A) ああ、それはうまくいくかもしれない。でも、授業やほかの用事もあるし、毎週実際のところどのくらい時間が取れるかわからない。

(B) うん、それはいい考えだ。でも、今日の演技のクラスのように、直前に予定が入ったり、時間がオーバーしたりすると大変なんだ。

(C) うん、今日は短い授業のはずだったんだけど、教授がわれわれをもっと長く残してシーンの練習をさせたがったんだ。

(D) ああ、それはうまくいくかもしれない。それか、プロジェクトのためのリーディングをいくつか飛ばして、いちばん重要なものだけに集中するとか？

(C) そうだ、今日は作業を分担しよう。それぞれが研究論文のどの部分を担当するか考えよう。 正解

Question 4

(A) わかった。じゃあ、結論を一緒に書こう。 正解

(B) わかった、じゃあ、プロジェクトにかかる時間を減らしてみよう。

(C) わかった、じゃあ、文献レビューから始めよう。

(D) できるだけ効率的に時間を使うようにしないとね。

(E) だから、必要なのは変更できるフレキシブルなスケジュールなのかもしれない。

Question 5

(A) 私も。でも、もうすぐ終わるんだから、頑張ってこのプロジェクトを終わらせればいいんだ。そうすれば、今取り組んでいるほかのことに使える時間が増えるから。

(B) うん、それもいいかも。午前中に集合して、午後は休憩してそれぞれのことをやって、またその日のうちに集合すればいい。

(C) オーケー、それはいいアイデアだね。そうだな……午前 9 時から 10 時まで授業があるから、毎日 2 時間は研究に使えるね。

(D) そうだね。でも、一度に 1 つのことに集中して結論を一緒に書けば、金曜日までにすべてを終わらせることができるよ。 正解

Question 6

(A) それは素晴らしい！　ようこそ！

(B) 水曜日なら大丈夫。それではまた！

(C) よし、いいね、取りかかろう。 　正解

(D) よくやった！　では、次の質問。

(E) うん、うん。じゃあ、急ぐよ。

解説 **(Listen and Respond)** Question 2 (C) の Not too bad.（悪くない）は唐突で不自然な発言。(D) は「時間が思うように取れない」と言っているクラスメートに対して、どう時間管理をしているのか尋ねるのはおかしいので不正解です。(A) の「研究論文を期限内に仕上げる」がよりシナリオに近いので正解。Question 3 は (D) も迷うかもしれませんが、シナリオの「研究論文を一緒に書く」に近い (E) が正解です。Question 4 は、具体的な分担案を提案するクラスメートに対して、同意しつつ共同で書く部分を提案する (A) が正解。Question 5 は、締切までの時間を心配するクラスメートに、締切に間に合うよう、段取りを説明する (D) が正解です。Question 6 は (B) の Wednesday works for me.（水曜日なら大丈夫です）や (D) の Nice work！（よくやった！）などはクラスメートの発言への応答として不自然。自然な応答の (C) が正解です。

解説 **(要約)** suggest のあとの that 節の主語が he、she など三人称単数であったり、過去の話であったりしても節内の動詞は原形、または should ＋ 動詞の原形となります。

実践問題

　最後に以下の 2 問を解いてみましょう。①シナリオを読む、② Question 1 〜 5 について音声を 1 回のみ再生し、適切な選択肢を選ぶ、③ Summarize the Conversation の順で進んでください。

🕐 解答時間 ▸ **1** 5 分 55 秒
　　　　　　　(Listen and Respond は 4 分 40 秒 *、Summarize the Conversation は 1 分 15 秒)
　　　　　　　2 6 分 15 秒
　　　　　　　(Listen and Respond は 5 分 *、Summarize the Conversation は 1 分 15 秒)
　　　　　　　　　　　　　　　　　　　　　　　*解答時間 4 分に音声再生時間を加えています。

1

Listen and Respond

You will participate in a conversation about the scenario below.

You recently graduated from college, and are trying to decide whether to go to graduate school for creative writing. You ask a friend for advice about getting a graduate degree.

＊右列は紙などで隠した状態で音声を再生し、再生後に左列の選択肢から正解を選んでください。解答後、隠していた右列を参照し、音声スクリプトと正解を確認しましょう。

Question 1 of 5
Pick the best option to start the conversation.

(A) Hey, did you decide what you want to do after class today?

(B) Hey, I'm thinking about taking an astronomy class next semester. What do you think?

(C) It was a lot of work, but it was worth it. I learned so much in graduate school!

(D) Hey, I've been considering applying to graduate school. What do you think?

(E) Professor, I need some advice. I'm trying to decide if I should apply to graduate school.

正解

(D) Hey, I've been considering applying to graduate school. What do you think?

Select the best response.

音声 ▶ 088

(A) Yeah, I went to graduate school right after finishing college.

(B) No way! I've also been thinking about getting a graduate degree in English.

(C) Yeah, but I still don't know exactly what I want to do for my career.

(D) Really? I'm not sure if I should study abroad. I need to think about it more.

(E) Yeah, it is. But it's also a great experience! I really enjoyed my time in graduate school.

I think it's a great idea! I could definitely see it being a good fit for you.

正解

(C) Yeah, but I still don't know exactly what I want to do for my career.

Select the best response.

音声 ▶ 089

(A) Getting a doctoral degree is a big commitment, but it's worth it if you're passionate about your research.

(B) Yeah, I am interested in continuing my research, and their graduate program will allow me to do that.

(C) Do you know what opportunities you can get with a graduate degree in creative writing?

(D) I'm not sure if graduate degrees are going to be much helpful in your case.

(E) I've been thinking about changing my field of study. What do you think?

Well, even if you're not sure what you want to do right away, a graduate degree can provide a lot of opportunities. You should definitely think about your career path before choosing a program though.

正解

(C) Do you know what opportunities you can get with a graduate degree in creative writing?

(A) Now that I've finished graduate school, I feel like I accomplished something.

(B) If you really want to do it, there are ways to make it work financially with scholarships and fellowships.

(C) You have time to figure that out. There are so many different things you can study in graduate school.

(D) Exactly! And you never know where opportunities might lead. After I graduated, I got a job as an instructor at a university.

(E) Yeah, that's true, but I feel like I may need a break before going back to school again.

Are you considering creative writing? Cool! You'd have a lot of career options afterwards, like becoming an author, an editor, or working in publishing.

正解

(E) Yeah, that's true, but I feel like I may need a break before going back to school again.

(A) Yeah, that's true too. Thanks for the advice!

(B) OK, I think I will apply for that position then.

(C) I see, that makes sense now. Thank you for your time!

(D) That's a good point. Thanks for your advice, Professor!

(E) Yeah, that suggestion might help. See you in class!

That's totally understandable. There's no rush. You can always take some time off and then decide later if you want to go to graduate school or not.

正解

(A) Yeah, that's true too. Thanks for the advice!

Chapter 8

Chapter 9

Chapter 10

Chapter 11

Chapter 12

Interactive Listening 攻略

Chapter 13

Chapter 14

Summarize the conversation you just had in 75 seconds.

_____

_____

_____

_____

_____

解答 (例) とスクリプト

Listen and Respond 解答

1. D　　2. C　　3. C　　4. E　　5. A

Summarize the Conversation 解答例

I was talking to my friend about the idea of going to graduate school to study creative writing. He supported the idea because it could lead to opportunities like becoming a writer. I was unsure about my career plan, but he told me that there is no rush and I can decide later.

(53 ワード)

訳　**(要約)** 大学院に進学してクリエイティブライティングを学ぶという考えについて友人と話しました。彼は、作家になるなどのチャンスにつながるからと、その考えを支持してくれました。私は進路について迷っていましたが、彼は急ぐ必要はないし、あとで決めればいい、と言ってくれました。

語句　**(相手の発言)** graduate school 〔名〕 大学院／ degree 〔名〕 学位／ career path 〔名〕 仕事の進路／ author 〔名〕 著者／ rush 〔名〕 急ぐこと

訳　**(シナリオ)** あなたは最近大学を卒業し、創作の大学院に進学するかどうかを決めようとしています。あなたは友人に大学院の学位取得についてアドバイスを求めています。

訳　**(会話)**

Question 1

あなた　　ねえ、大学院への出願を考えているんだけど。どう思う?

Question 2

クラスメート　いい考えだと思うよ! 君には絶対合うと思うよ。

あなた　　うん、でもまだ自分のキャリアをどうしたいのかはっきりわからないんだ。

Question 3

クラスメート　そうだね、すぐに何をしたいのかわからなくても、大学院の学位は多くの機会を与えてくれるよ。でも、プログラムを選ぶ前に、自分の仕事の進路についてよく考えたほうがいいよ。

あなた　　大学院でクリエイティブライティングの学位を取ると、どんなチャンスがあるか知っている?

Question 4

クラスメート　クリエイティブライティングを考えているの? いいね! 作家になるとか、編集者になるとか、出版社で働くとか、後々、キャリアのチャンスはたくさんあるよ。

あなた　　うん、そうなんだけど、また学校に戻る前に、ちょっと休みが必要な気がするんだ。

Question 5

クラスメート　それはわかるよ。急ぐ必要はない。しばらく休んでから、大学院に行くかどうかあとで決めればいいんだから。

あなた　　そうだね。アドバイスありがとう!

語句　**(選択肢)** astronomy 〔名〕 天文学／ doctoral degree 〔名〕 博士号／ scholarship 〔名〕 奨学金／ fellowship 〔名〕 特別奨学金

（選択肢）

Question 1

(A) ねえ、今日の授業のあと、何をするか決めた？

(B) ねえ、来学期は天文学のクラスを取ろうと思っているんだ。どう思う？

(C) 大変だったけど、やる価値はあったよ。大学院で多くのことを学んだよ！

(D) ねえ、大学院への出願を考えているんだけど。どう思う？ 正解

(E) 教授、アドバイスが欲しいんです。大学院に出願すべきかどうか決めかねているんです。

Question 2

(A) うん、大学を卒業してすぐに大学院に行ったよ。

(B) とんでもない！　大学院で英語の学位を取ることも考えているところだよ。

(C) うん、でもまだ自分のキャリアをどうしたいのかはっきりわからないんだ。 正解

(D) そうなの？　留学しようか迷っているんだ。もっと考えないと。

(E) そうだね。でも、それもいい経験だよ！　大学院時代は本当に楽しかった。

Question 3

(A) 博士号を取得するのは大変な覚悟がいることだけど、自分の研究に情熱を持っているのなら、それだけの価値はあるよ。

(B) うん、自分の研究を続けることに興味があるし、その大学院プログラムではそれが可能なんだ。

(C) 大学院でクリエイティブライティングの学位を取ると、どんなチャンスがあるか知っている？
　　　　　　　　　　　　　　　　　　　　　　　　　　　　　　　　　　　　　正解

(D) あなたの場合、大学院の学位があまり役に立つかどうかはわからないよ。

(E) 研究分野を変えようと思っている。どう思う？

Question 4

(A) 大学院を卒業した今、何かを成し遂げたような気がする。

(B) 本当にやりたいなら、奨学金や特別奨学金で経済的にやりくりする方法があるよ。

(C) それを考える時間はある。大学院で学べることはたくさんあるよ。

(D) そのとおり！　どこにチャンスがつながっているかわからない。私は卒業後、大学で講師の仕事に就いたよ。

(E) うん、そうなんだけど、また学校に戻る前に、ちょっと休みが必要な気がするんだ。 正解

Question 5

(A) そうだね。アドバイスありがとう！ 正解

(B) わかった、ではそのポジションに応募してみようと思う。

(C) なるほど、納得だね。時間を割いてくれてありがとう！

(D) 確かにそうですね。教授、アドバイスありがとうございました！

(E) うん、その提案は役に立つかもしれないね。また授業で会おう！

Listen and Respond

You will participate in a conversation about the scenario below.

You are a graduate student and a research assistant in the Middle Eastern History department and you are helping your professor write a grant proposal. You meet with them to discuss what your tasks will be and how you can best contribute to the project.

Listen closely! You can only play the audio clips once.

Question 1 of 5
Select the best response.

(A) OK, what's the date?

(B) Hey, how's it going?

(C) I don't know what to do.

(D) Sure, what can I do?

(E) OK, I'll do the same.

 音声 ▸ 092

> Hi, thanks for coming to meet with me. I'm working on a grant proposal for a project on the history of the Ottoman Empire and I could use some help.

正解

(D) Sure, what can I do?

 音声 ▸ 093

Question 2 of 5
Select the best response.

(A) OK, I'll start working on it and let you know when I have something.

(B) OK, I'll try my best to get it done as soon as possible then.

(C) No, but I'm a quick learner and I'm willing to do whatever it takes to help out.

(D) No problem, I can definitely do that. When do you need it by?

(E) That shouldn't be a problem. Do you have any specific instructions or anything you want me to focus on?

> Well, I need someone to help me with the research and writing. Do you have any experience with writing grant proposals?

正解

(C) No, but I'm a quick learner and I'm willing to do whatever it takes to help out.

音声 ▶ 094

(A) OK, that sounds like a good place to start. How long do you think the project will take?

(B) OK, that sounds like a good plan. How long is the presentation?

(C) OK, that shouldn't be a problem. Do you want to start coming up with solutions?

> Then this will be a good research opportunity for you. The first thing you can do is look through some of the existing literature on the Ottoman Empire and see what other scholars have said about it. Then we can start brainstorming ideas for the project.

正解

(A) OK, that sounds like a good place to start. How long do you think the project will take?

音声 ▶ 095

(A) Two weeks isn't a lot of time, but I think we can manage it if we work together on it and divide up the sections.

(B) OK, I'll work on making some changes to the budget and then we can meet again tomorrow to go over everything before we submit it.

(C) OK, that sounds like something I can do. Do you have any specific schools in mind that you want me to compare our department to?

(D) That shouldn't be a problem. I can work on it full-time during summer break and then part-time during the fall semester.

> If we get started soon, I think it would be feasible to finish within a few months. The grant proposal is due at the end of the year.

正解

(D) That shouldn't be a problem. I can work on it full-time during summer break and then part-time during the fall semester.

Question 5 of 5
Select the best response.

(A) Yeah, that's definitely a plus!

(B) OK, that sounds fair. My apologies!

(C) Yeah, me too. It should be fun.

(D) Yeah, that sounds good to me!

> Perfect! Let's aim to have most of the research done by the end of summer so that we can focus on writing the proposal in the fall semester. Does that sound like a plan?

正解

(D) Yeah, that sounds good to me!

Summarize the Conversation

Summarize the conversation you just had in 75 seconds.

_____

_____

_____

_____

_____

Chapter 8
Chapter 9
Chapter 10
Chapter 11
Chapter 12
Interactive Listening 攻略
Chapter 13
Chapter 14

Listen and Respond 解答

1. D　　2. C　　3. A　　4. D　　5. D

Summarize the Conversation 解答例

I met with my professor to discuss helping her with a grant proposal on the history of the Ottoman Empire. She wanted me to go over books on the subject to come up with ideas. We agreed to complete the research by the end of summer and then write the proposal in the fall to meet the deadline, which is the end of the year.

(65 ワード)

訳　（要約）オスマン帝国の歴史に関する助成金申請の手伝いについて話し合うために、教授と会いました。彼女は私に、アイデアを出すためにこのテーマに関する本を調べてほしいと言いました。 私たちは、夏の終わりまでに調査を完了させ、秋に申請書を書いて年末の締め切りに間に合わせることで合意しました。

語句　（相手の発言）grant proposal ［名］補助金申請／ the Ottoman Empire ［名］オスマン帝国／ could use ［句］〜が得られたらありがたい／ existing ［形］既存の／ scholar ［名］学者／ feasible ［形］実現可能な／ due ［形］提出期限の

訳　（シナリオ）あなたは大学院生で、中東史学部の研究助手をしており、助成金申請について教授の手伝いをしています。あなたは教授と面談し、どのような仕事をし、どうすればプロジェクトに最も貢献できるかを話し合っています。

訳　（会話）

Question 1

教授　こんにちは、会いにきてくれてありがとうございます。オスマン帝国の歴史に関するプロジェクトの助成金申請書を作成しているのですが、少し助けてほしいのです。

あなた　いいですよ、何ができるでしょう?

Question 2

教授　ええ、調査と執筆を手伝ってくれる人が必要なんです。助成金申請書を書いた経験はあるかしら?

あなた　いいえ、でも私は覚えが早いので、どんなことでもお手伝いしますよ。

Question 3

教授　それなら、これはあなたにとってよい研究の機会になるでしょう。まず最初に、オスマン帝国に関する既存の文献に目を通し、ほかの学者がオスマン帝国についてどのようなことを述べているかを見てください。それから、プロジェクトについてブレーンストーミングを始めましょう。

あなた　わかりました、そこから始めるのがよさそうですね。プロジェクトはどのくらいかかると思いますか?

Question 4

教授　すぐに始めれば、数か月で終わらせることは可能だと思います。助成金申請書の締め切りは年末です。

あなた　それは問題ないでしょう。夏休み中はフルタイムで、秋学期はパートタイムで取り組めますから。

Question 5

教授　　完璧です！ 夏の終わりまでにほとんどの調査を終わらせ、秋学期には申請書の作成に集中できるようにしましょう。そんな計画で大丈夫ですか？

あなた　ええ、それでいいと思います！

語句 **(選択肢)** quick learner 名 物覚えが早い人／department 名 学部

訳 **(選択肢)**

Question 1

(A) オーケー、日付は？

(B) やあ、調子はどうだい？

(C) どうしたらいいかわからない。

(D) いいですよ、何ができるでしょう？ 正解

(E) わかりました、私もそうします。

Question 2

(A) わかりました、取りかかりますので、何かできたらお知らせします。

(B) わかりました、ではできるだけ早くできるように頑張ります。

(C) いいえ、でも私は覚えが早いので、どんなことでもお手伝いしますよ。 正解

(D) 大丈夫です、必ずできます。いつまでに必要ですか？

(E) 問題ありません。何か具体的な指示や集中してほしいことはありますか？

Question 3

(A) わかりました、そこから始めるのがよさそうですね。プロジェクトはどのくらいかかると思いますか？ 正解

(B) わかりました、よいプランだと思います。プレゼンテーションの時間の長さは？

(C) わかりました、問題ないでしょう。解決策を考えるところから始めたいですか？

Question 4

(A) 2週間はあまり長くないですが、2人で協力してセクションを分担すればなんとかなると思います。

(B) わかりました、予算を少し変更して、明日提出する前にもう一度会ってすべてを確認しましょう。

(C) わかりました、それならできそうです。私たちの学部と具体的にどこの学校とを比較してほしいか、考えはありますか？

(D) それは問題ないでしょう。夏休み中はフルタイムで、秋学期はパートタイムで取り組めますから。 正解

Question 5

(A) うん、それは間違いなくプラスですね！

(B) なるほど、それは公平ですね。失礼しました！

(C) ええ、私もです。楽しみですね。

(D) ええ、それでいいと思います！ 正解

Writing Sample 攻略

出題形式

数センテンスで提示される質問に対して解答する形式で、Read, Then Write（p. 120）と画面構成、準備時間、解答時間などが共通した問題です。

📋 **準備時間 ▶ 30 秒**
質問文のみ表示される

🕐 **解答時間 ▶ 5 分**
右側に記入欄が表示される

記入欄

解答中、誤って NEXT をクリックしないように！

- **準備時間** ｜ 30 秒
- **解答時間** ｜ 5 分（3 分経過の時点で次の問題に進むことが可能だが、時間を使い切るのがお勧め）
- **出題頻度** ｜ 1 回のテストにつき 1 回
- **出題の目的** ｜ 採点用、および出願先団体への提出用

解答時の心構え

形式などについて Read, Then Write と共通点が多いですが、最大の違いは当然のことながらスコアに反映されると同時に、**出願先の団体へ書いた内容が自動的に提出される**ことです（**拒否することはできません**）。したがって、Read, Then Write では「本心に基づくより、英語で書きやすい内容を優先」することをお勧めしましたが、この問題では同時に「**入学審査官に見られる**」可能性も意識する必要があります。この問題での

ライティングの質をどれほど重視するかは出願先団体によりますが、「出願書類の文面と Writing Sample との間の内容・質の差が大きい」と思われるのは避けたいところです。

攻略のポイント

サンプル問題

以下の問題を本試験と同じ準備時間・解答時間で解いてみましょう。

📋 準備時間 ▶ 30 秒　　🕐 解答時間 ▶ 5 分

Describe the geography of the country where you currently live. How does the geography of the country affect its people and its culture?

解答例

上級　意見 The unique geographical features of my country, Japan, have profoundly influenced its people and cultural norms.
地理 Stretching from north to south, Japan is an island nation, consisting of four main islands and numerous smaller islands. Its land surface is mostly mountainous, heavily forested, and has limited spaces suitable for human habitation.
文化&人 These unique geographic features, combined with the country's geographic isolation from neighboring nations, have allowed the Japanese people to establish their distinct cultural norms and values. **Despite** the scarcity of suitable land for farming, the Japanese have demonstrated their resourcefulness and ingenuity in agriculture by, **for example**, developing terrace farming, a technique that maximizes crop yields on steep hillsides. 地理&文化 **Furthermore**, Japan's extensive coastline and abundant marine resources have contributed to the development of coastal towns and a thriving fishing industry.

(131 ワード、太字は接続表現)

語句 norm 名 基準、規範／ numerous 形 多数の／ habitation 名 住居、居住地／ isolation 名 隔離／ distinct 形 独特の／ scarcity 名 不足／ suitable 形 適した／ resourcefulness 名 創意工夫／ ingenuity 名 巧妙さ／ terrace farming 名 棚田農業／ maximize 動 〜を最大化する／ yield 名 収穫高／ steep 形 急な、険しい／ extensive 形 広範囲にわたる／ abundant 形 豊富な／ thriving 形 繁栄している

（質問）あなたが現在住んでいる国の地理を説明してください。その国の地理は、人々と文化にどのような影響を与えていますか？

（解答例）私の国、日本のユニークな地理的特徴は人々や文化的規範に深く影響を与えてきました。日本は南北に長い島国であり、4つの主要な島と多くの小さな島から構成されています。国土の大部分は山岳地帯で、森林が多く、人が住むのに適した土地は限られています。このようなユニークな地理的特徴に加え、近隣諸国から地理的に隔離されているため、日本人は独自の文化規範や価値観を確立してきました。農業に適した土地が少ないにもかかわらず、日本人は例えば急峻な丘陵地で作物の収穫量を最大化する棚田農業を開発するなど、農業の分野で知恵と工夫を凝らしてきました。さらに、日本の広大な海岸線と豊富な海洋資源は、沿岸部の町づくりや漁業の発展に貢献しました。

中級 Japan's unique geography has greatly influenced its people and culture. Japan is an island nation with four main islands and many smaller ones. The land is mostly mountainous and forested, and it has limited areas for living. This geography and isolation from surrounding countries have created a unique culture in Japan. Despite little land for farming, Japanese people have developed unique farming techniques for better crop yields. Japan's long coastline and rich marine resources led to coastal towns and a strong fishing industry. (83 ワード)

訳 **（解答例）**日本の独特な地理は、人々や文化に大きな影響を与えてきました。日本は、4つの主要な島と多くの小さな島から成る島国です。国土はほとんどが山林で、生活圏は限られています。このような地理と周辺国からの孤立が、日本独自の文化を生み出しました。農業用地が少ないにもかかわらず、日本人は作物の収穫を高めるために独自の農業技術を開発しました。日本は長い海岸線と豊富な海洋資源により、海岸沿いの町が生まれ、漁業が盛んになりました。

ポイント 1　Read, Then Write との違い

Read, Then Write と形式上は類似していますが、いくつか重要な違いもあります。

1 語数の多さ

　上級の解答例は Read, Then Write の約 80 ワードと比べ約 130 ワードとなり、より多くの解答を書くことが求められます。入学審査官が受験者のライティング力をよりはっきりと確認できるようにという配慮と考えられます。

2 受験者個人にまつわる出題

　サンプル問題は「あなたが現在住んでいる国の地理〜」となっていますが、ほかにも「あなたが〜した経験、あなたの〜に関する好み」など、受験者個人に関して書く問題が出題される可能性がやや高くなります（すべてではなく、全体としての傾向）。これも出願先団体に対し、受験者の意見がより伝わることを意識したものでしょう。

1 「メイントピック＋（複数の）質問」タイプ

Describe ～／What is (are)～？／Name ～／Who is ～？ などでメイントピックが示されたあとに質問が複数あるタイプです。Read, Then Speak（p.167）の質問に類似していますが、Writing Sample ではメイントピックに続く質問の数が **2 つ程度とやや少なめ**に抑えられている傾向があります。ただ、その分、1 つの質問に関し、**たくさん話すことを要求される内容になります。**以下はサンプル問題の例です。

メイントピック

Describe the geography of the country where you currently live.
あなたが現在住んでいる国の地理を説明してください。

質問 1

How does the geography of the country affect its people and its culture?
その国の地理は、人々と文化にどのような影響を与えていますか？

質問 1 は Read, Then Speak に含まれることのある「本のタイトルは？」「プレゼントは何？」などに比べると、解答が長くなる内容になっています。

2 「2 つの選択肢」タイプ

Do you think A or B? ～／Agree or disagree? ～ など 2 つの選択肢から選び解答するタイプです。

例　Sports is a required subject in some schools. Overall, do you think this is a good thing or a bad thing? Explain your opinion.
スポーツが必修科目になっている学校もあります。概して、これはよいことだと思いますか、それとも悪いことだと思いますか？　あなたの意見を説明してください。

　サンプル問題と前ページで取り上げた「2つの選択肢」タイプの問題について、それぞれ解答の構成を見てみましょう。

■「メイントピック＋（複数の）質問」タイプの場合

メイントピック　（現在住んでいる国の地理を説明してください）：日本は南北に長い島国

質問1　（地理は、人々にどのような影響を与えている?）：独自の価値基準を確立した

質問2　（地理は、文化にどのような影響を与えている?）：農業＆漁業が発展した

■「2つの選択肢」タイプの場合

　Read, Then Write にも登場した構成です。「意見」に複数の「理由（＋詳細）」を述べます。

意見　スポーツが必修科目になるのはよくない

理由1　体力的にスポーツが苦手な生徒もいる＋詳細

理由2　事故やケガのリスクがある＋詳細

理由3　他の重要科目の学習時間が減る＋詳細

実力養成問題

　今まで学習した点を踏まえ、以下の 2 問を解いてみましょう。内容を思いつかない方はヒントを参考にしてください。

📋 **準備時間 ▶ 30 秒**　　🕒 **解答時間 ▶ 各問 5 分**

1 Sports is a required subject in some schools. Overall, do you think this is a good thing or a bad thing? Explain your opinion.

> 💡 Read, Then Write に類似の質問文。理由を複数述べる場合、2 つにすることを推奨しました
> ヒント が（Chapter 8 Read, Then Write の「ポイント 2 一般的なエッセイとの構成の違いを意識する」）、Writing Sample では語数が多いほうがよいので、3 つまで増やしましょう。

2 Who is a person you think you have impacted in your life? What impact have you had on the person, and how?

> 💡 一般的な英文エッセイ問題でしばしば出題される「影響を受けた人」ではなく「自分が影響を与
> ヒント えた人」である点に注意しましょう。聞かれている点は「『メイントピック』：影響を与えた人、『質問 1』：与えた影響、『質問 2』：影響を与えた方法」ですが、ストーリーを作るためにほかの要素を加えることも可能です。

解答例と解説

1 意見 ①I think that requiring sports as a subject in school has significant benefits. 理由1 ②Physical activity is vitally important to maintaining good health. 詳細 ③By requiring children to play sports in school, the likelihood of them having physical health problems decreases. 理由2 ④**Additionally**, sports teach valuable skills, **such as** discipline and teamwork. 詳細 ⑤Students learn to cooperate with one another and to work hard to achieve their goals. ⑥These skills continue to be valuable **when** they become adults. 理由3 ⑦One other benefit of requiring sports in schools is that it gives students a break from sitting at a desk all day. 詳細 ⑧It is important for their mental health that they get up and move around frequently. ⑨This makes it easier for them to focus on their studies **when** they are in the classroom. (128ワード、太字は接続表現)

語句 vitally 副 極めて／discipline 名 規律、しつけ

訳 **(質問)** スポーツが必修科目になっている学校もあります。概して、これはよいことだと思いますか、それとも悪いことだと思いますか? あなたの意見を説明してください。
(解答例) 学校の科目でスポーツを必修化することは、大きな効果があると思います。体を動かすことは、健康を維持するために極めて重要です。学校でスポーツをさせることで、子どもたちが身体的な健康問題を抱える可能性は低くなります。さらに、スポーツは、規律やチームワークなど、大切なスキルを教えてくれます。生徒は互いに協力し合い、目標に向かって努力することを学びます。これらの能力は、大人になってからも大切であり続けます。学校でスポーツを必修とすることのもう1つの利点は、一日中机に向かっている生徒を休ませられることです。立って頻繁に動き回ることは、精神衛生上、大切なことです。これによって教室にいるときは、勉強に集中しやすくなります。

解説 ① 質問文では a good thing となっていますが、語彙レベルを上げるためにパラフレーズを行い、significant benefits としています。
② 1つ目の理由として、maintaining good health (健康の維持) を挙げています。
③ the likelihood of them having physical health problems (彼らが身体的な健康問題を抱える可能性) は名詞句です。of のような前置詞のあとに代名詞がくる場合は目的格になるので (例:against us、for him)、ここでは them となります。
④～⑥ 接続表現の Additionally、such as を使いながら、2つ目の理由「discipline and teamwork (規律とチームワーク)」を述べます。⑥では指示形容詞 (These) を使っています。
⑦～⑨ 3つ目の理由として、勉強から離れることによる精神的な利点を挙げています。⑨では使役動詞 make を使い、センテンスにバリエーションを加えています。

2 Who? ①Ten years ago, I had a positive influence on a recent college graduate who had just joined our company.

問題点 ② During a meeting with an important client, the problems of her communication style became evident, **and** she seemed to be reciting her talking points without truly engaging with the client. How? ③ **Afterward**, I set up a long-term training program to teach her to listen carefully to the client's needs and concerns. **問題点** ④ **In addition**, **because** she was new to the job, she was often overwhelmed with work, which had a negative impact on the entire department. How? ⑤ I advised her to ask for help **when** she needed it, **and** I spent countless hours working overtime to help her. What impact? ⑥ **Despite** these initial challenges, she made significant progress and became a reliable member of our sales department.

(131 ワード、太字は接続表現)

語句 graduate 名 卒業生／ evident 形 明らかな／ recite 動 〜を列挙する／ talking point 名 論点、議題／ engage 動 （with を伴って）〜に関与する／ concern 名 懸念／ overwhelm 動 〜を圧倒する／ overtime 副 規定時間を超えて／ initial 形 最初の／ challenge 名 課題、難題

訳 **（質問）** あなたが人生で影響を与えたと思う人は誰ですか？ あなたはその人にどのような影響を、どのように与えましたか？

（解答例） 10 年前、私は大卒で入社したばかりの人物によい影響を与えました。ある重要なクライアントとの打ち合わせで、彼女のコミュニケーションスタイルの問題が明らかになり、クライアントとしっかりコミュニケーションをとらず、自身の論点を列挙しているように思えたのです。その後、長期的なトレーニングプログラムを組み、クライアントのニーズや懸念にじっくりと耳を傾けるよう指導しました。また、新入社員ということもあり、業務に追われることが多く、部署全体に悪影響を与えていました。そのため、必要なときは助けを求めるようアドバイスし、残業してまで彼女を支えたことは数知れません。このような当初の困難がありながらも、彼女は大きく成長し、営業部の頼れる存在となりました。

解説 ① 質問で聞かれている点のうち、「メイントピック」に対して端的に解答しています。質問文の impacted を a positive influence と言い換えています。今回は社会人としての解答ですが、学生の視点から書く場合は「弟、妹、友達に与えた影響」「学校のクラブ活動において仲間に与えた影響」などがありうるでしょう。

② ここで「新入社員の抱える問題点」を示していますが、これはヒントで触れたストーリーを作るために追加した要素です。なお、人が主語になりやすい質問内容ですが、ここでは無生物主語を使い、センテンスのバリエーションを増やしています。

③ 接続表現 Afterward を使い、新入社員の課題への自分が行った対応法を述べています。

④ In addition で始め、2 つ目の課題に言及します。②と同様、追加の要素です。because を使った複文になっています。

⑤ 2 つ目の問題点に対する対応法です。and で 2 つの節をつなぐ重文になっています。

⑥ 接続表現 Despite を使って最初は困難があったことを述べてから新入社員の成長を示し、自分の影響の締めくくりとします。

実践問題

最後に以下の問題を解いてみましょう。

📋 準備時間 ▸ 30 秒　🕐 解答時間 ▸ 5 分

Describe the last time you enjoyed being out in nature. Do you think people should spend more time outdoors? How would this affect people's quality of life?

解答例

Last summer, my friends and I went on a camping trip to a lakeside campground. We had a great time doing various outdoor activities, **such as** swimming, fishing, and hiking in the surrounding woods. A few times **while** we were there, I went for a walk in the woods by myself, which was a memorable experience. Walking through the thick greenery with the sounds of nature all around me was very therapeutic. **Another** highlight of the trip was witnessing the stunning night sky, which was free from light pollution, **unlike** in the cities. I believe people should be exposed to nature more often, **as** it improves mental health and well-being. **Not only** do people enjoy physical benefits such as lower blood pressure or improved immune function, **but also** psychological benefits **such as** reduced stress and anxiety.

(136 ワード、太字は接続表現)

語句　memorable 形 記憶に残る／greenery 名 緑の植物／therapeutic 形 治療に役立つ／stunning 形 驚くべき／pollution 名 汚染、公害／exposed 形 さらされた／well-being 名 幸福／immune 形 免疫の／psychological 形 心理的な／anxiety 名 不安

訳　**（質問）** 最後に自然環境の中で過ごすことを楽しんだときのことを説明してください。人はもっと屋外で過ごすべきだと思いますか？ そのことが人の生活の質にどのような影響を与えますか？

（解答例） 昨年の夏、私は友人たちと湖畔のキャンプ場へキャンプに出かけました。泳いだり、釣りをしたり、周囲の森をハイキングしたりと、さまざまなアウトドアアクティビティを楽しみました。その際、何度か一人で森の中を散歩したのが印象に残っています。緑が生い茂る中を自然の音に囲まれながら歩くのは、とても癒されました。また、都会とは違い、光害のない素晴らしい夜空を見ることができたのも、この旅のハイライトでした。精神的な健康や幸福感を高めるためにも、人々はもっと自然に触れるべきだと思います。血圧の低下や免疫機能の向上といった身体的な効果だけでなく、ストレスや不安の軽減といった心理的な効果も期待できます。

Speaking Sample 攻略

出題形式

全テスト中、最後の出題です。Writing Sample 同様、解答内容は出願先団体に提出されます。数センテンスで提示される質問に対して解答する形式で、Listen, Then Speak、Read, Then Speak より準備時間、解答時間が長めに設定されています。

📋 **準備時間 ▶ 30 秒**
質問文のみ表示される

質問文は文字のみ、音声はなし

🕐 **解答時間 ▶ 3 分**
画面右中央に受験者の映像が表示される

解答時間開始 1 分後に SUBMIT が表示される。クリックしてテストを終了させることもできる

- **準備時間** | 30 秒
- **解答時間** | 3 分（1 分経過の時点でテストを終了させることもできる）
- **出題頻度** | 1 回のテストにつき 1 回
- **出題の目的** | 採点用、および出願先団体への提出用

解答時の心構え

テスト中、**唯一受験者の映像を出願先団体が確認することができる問題**です。それまで画面右上端に固定されていた受験者の映像が、解答開始と同時に画面右中央近くに移動します。極端に敏感になる必要はありませんが、「目の前に自分を見ている人がいる」

という意識で解答しましょう。出願先団体とのオンラインインタビューと類似の設定でもあり、解答時間はかなり長めに設定されています。3分間ノンストップで流暢に話し続けるのは困難で、実現できればそれに越したことはありませんが、よどみなく充実した内容であれば1分半程度の長さでも十分です。

攻略のポイント

サンプル問題

以下の問題を本試験と同じ準備時間・解答時間で解いてみましょう。

準備時間 ▶ 30秒　　解答時間 ▶ 3分（解答は最短でも1分を目指す）

Describe a compassionate act or display of empathy that you have demonstrated. How did your compassion positively impact the person or situation? In your view, why is it crucial for individuals to exhibit compassion and empathy towards others?

解答例

音声 ▶ 097

上級　メイントピック I reached out to a new student from Canada who came to my school last year. **Since** she looked different than the other students, and her Japanese was not very good, she really stood out. My classmates and I could not communicate with her very well at first because of our limited English skills. I could sense her loneliness in this new environment. To get over the communication barrier, I invited her to play video games with me, **and** I showed her photos and videos on my social media accounts, **because** these activities didn't require conversational skills. 質問1 **Eventually**, other classmates joined us, **and** she made friends with everybody in the class. 質問2 This experience taught me the importance of being compassionate and offering to help people **when** they are in need. **Once** other people see you being kind, they are likely to follow your example. **And once** someone has benefited from your kindness, it is natural that they will try to do the same for others. To tell the truth, I am an example of this. Years before this experience, I was transferred to another school, **but** I was able to make friends with my new classmates **because** one of them stepped forward to make friends with me first.

(208 ワード、太字は接続表現)

語句 **(質問)** compassionate 形 同情的な／ empathy 名 共感／ demonstrate 動 (感情など) ～を表す／ exhibit 動 (感情など) ～を表す／ compassion 名 同情心

(解答例) stand out 句 目立つ／ in need 句 必要としている／ step forward to ～ 句 ～を申し出る

訳 **(質問)** あなたが示した思いやりのある行為や共感の表明について述べてください。あなたの思いやりは、相手や状況にどのようなプラスの影響を与えましたか？ 他者に対して思いやりと共感を示すことが、個人にとって極めて重要なのはなぜだと思いますか？

(解答例) 昨年、カナダから私の学校にやってきた新しい生徒に手を差し伸べました。彼女はほかの生徒と違って見えて、日本語もあまり上手ではなかったので、とても目立っていました。私とクラスメートは、英語があまりできなかったので、最初は彼女とうまくコミュニケーションをとることができませんでした。新しい環境での彼女の寂しさが伝わってきました。コミュニケーションの壁を乗り越えるため、私は彼女をテレビゲームに誘ったり、自分の SNS のアカウントにある写真や動画を見せたりしました。これらのことをするのに会話のスキルは必要なかったからです。やがてほかのクラスメートも加わり、彼女はクラスのみんなと友達になりました。この経験は、思いやりを持ち、困っている人がいたら助けようと申し出ることの大切さを教えてくれました。一度あなたが親切にしているのを見れば、ほかの人たちもあなたの例に従うでしょう。そして誰かがあなたの親切から恩恵を受けたなら、ほかの人にも同じことをしようとするのは自然なことです。実を言うと、私もその一例です。この経験の何年も前、私は別の学校に転校しましたが、新しいクラスメートと友達になることができました。なぜなら、そのうちの一人が私と友達になろうと最初に名乗り出てくれたからです。

中級

🔊 音声 ▶ 098

Last year, a new girl from Canada came to our school. She looked different, and her Japanese was not very good, so she really stood out. At first, my classmates and I had a hard time communicating with her because we didn't know much English. I felt she was lonely, so I invited her to play video games and showed her pictures and videos. It was fun and didn't require much talking. Eventually, more friends joined us, and she became friends with everybody. This taught me that being nice and helping people is very important. When you are kind, other people around you will be kind also, and the one who received kindness will spread it too. I know this because when I was new at a new school, someone was kind to me.

(134 ワード)

訳　**(解答例)** 昨年、カナダから新しい女の子が学校にやってきました。彼女は見た目も違ったし、日本語もあまり上手ではなかったので、本当に目立っていました。クラスメートも私も英語があまりわからなかったので、最初は彼女とコミュニケーションをとるのに苦労しました。彼女が寂しがっているように感じたので、テレビゲームに誘ったり、写真や動画を見せたりしました。それは楽しく、あまり話す必要もありませんでした。やがて友達も増え、彼女はみんなと友達になりました。このことは、親切にすること、人を助けることがとても大切だということを教えてくれました。あなたが親切にすれば、周りの人も親切にするし、親切を受けた人もそれを広める。私がこのことを知っているのは、私が新しい学校にきたとき、親切にしてくれた人がいたからです。

ポイント1　頻出の質問タイプ

Writing Sample と類似の質問タイプ、トピックがよく見られます。

1　「メイントピック＋（複数の）質問」タイプ

Describe 〜／ What is (are) 〜？／ Name 〜などでメイントピックが示されたあとに質問が複数あるタイプです。

Speaking Sample では質問の数が **2 つ程度とやや少なめ**に抑えられているものの、たくさん**話すことを要求される内容になる**傾向があります。以下はサンプル問題の例です。

メイントピック

Describe a compassionate act or display of empathy that you have demonstrated.
あなたが示した思いやりのある行為や共感の表明について述べてください。

質問1

How did your compassion positively impact the person or situation?
あなたの思いやりは、相手や状況にどのようなプラスの影響を与えましたか？

質問2

In your view, why is it crucial for individuals to exhibit compassion and empathy towards others?
他者に対して思いやりと共感を示すことが、個人にとって極めて重要なのはなぜだと思いますか？

質問 1、2 ともに Read, Then Speak に含まれることのある「本のタイトルは？」「プレゼントは何？」などに比べると、解答が長くなる内容になっています。

「2つの選択肢」タイプ

Do you think 〜? Why or why not? / Is it 〜? Why or why not? などの質問に対し、2つの選択肢から選び解答するタイプです。

> 例 Do you think studying a foreign language should be required in school? Why or why not? Give reasons and examples to support your opinion.
>
> 外国語の勉強は学校で必修にすべきだと思いますか？ その理由は何ですか？ あなたの意見を裏付ける理由と例を挙げてください。

ポイント2　解答の基本構成

サンプル問題と上で取り上げた「2つの選択肢」タイプの問題について、それぞれ解答の構成を見てみましょう。

■「メイントピック＋（複数の）質問」タイプの場合

メイントピック　（あなたが示した思いやりや共感について述べてください）：カナダからやってきた転校生に手を差し伸べた

質問1　（思いやりは、相手や状況にどのようなプラスの影響を与えた？）：彼女はクラスのみんなと友達になった

質問2　（他者に対して思いやりと共感を示すことが個人にとって重要なのはなぜ？）：親切にしているのを見れば、ほかの人たちも他者に親切にするようになる。

■「2つの選択肢」タイプの場合

Read, Then Write (Chapter 8) にも登場した構成です。「意見」に複数の「理由（＋詳細）」を述べます。

意見　外国語教育は必修になるべきではない

理由1　外国語を必要としない職業に就く生徒もいる＋詳細

理由2　他の科目を学習する時間が不足する＋詳細

理由3　学校教育の外国語学習は実用的ではない＋詳細

ポイント3　話す量の増やし方

　Listen, Then Speak（「ポイント12『詳細』を長く話すための方法」）や Read, Then Speak（「ポイント3 より長く話すためのトレーニング」）で使ってきた解答ボリュームを増やす方法を確認しておきましょう。

① 研究・統計の引用　② 具体例の説明　③ 情報の掘り下げ　④ 結果・影響の説明
⑤ 対立する選択肢の言及　⑥ 状況説明

　サンプル問題の解答例では、2センテンス目から4センテンス目にかけて⑥の「状況説明」を用いて、カナダからやって来た生徒の状況や、自分の英語力が不十分なためにコミュニケーションがうまくとれなかったことを話して、解答のボリュームを増やしています。
　また、最後の2センテンス（To tell the truth 以降）では、②の「具体例の説明」を用い、自分自身の例を話しています。

実力養成問題

　ここではポイント3で述べた「⑤対立する選択肢の言及」を使いながら解答ボリュームを増やす練習をしましょう。解答の中に「**自分の選ばない選択肢のマイナス面**」を入れながら完成させてみましょう。

📋 準備時間 ▶ 30秒　　🕐 解答時間 ▶ 3分（解答は最短でも1分を目指す）

Is it important to get your news from multiple different sources? Why or why not? How do you determine whether a source is trustworthy or not? Give reasons to support your opinion.

💡 「2つの選択肢」タイプの質問、Is it important to ～ ? にもう1問 How do you determine ～ ?
ヒント という質問が加わっています。それぞれ「理由」と「詳細」を述べましょう。Is it important to
　　　 ～ ? に対しては Yes の立場で解答し、multiple different sources とは反対の「a single news
　　　 source / a single perspective のマイナス面」を述べてみましょう。

解答例と解説

意見1 ① Getting stories from different news outlets is critical to make myself well-informed on various issues. **理由1** ② **First**, in my opinion, truly neutral media outlets are few and far between. **詳細** ③ A lot of news agencies have certain biases, liberal or conservative, especially when it comes to social and political issues. ④ Comparing news stories from sources with different views ensures that I can form a balanced opinion on these issues. **理由2** ⑤ **Second**, there is so much happening in the world that a single news agency simply cannot cover it all. **詳細** ⑥ **For instance**, despite its broad scope, a national paper can miss an important local story. ⑦ **Similarly**, if I only followed news produced by Japan-based news companies, then I would only be seeing things from a Japanese perspective. **意見2** ⑧ **As for** determining **whether** a certain news source is trustworthy, it is important to pay attention to the type of language they use. **理由1** ⑨ **For example**, watching out for sensational headlines is crucial. **詳細** ⑩ These headlines often simplify complex issues, which can be misleading. **理由2** ⑪ **Also**, if a source frequently uses vocabulary with negative nuances, I am less likely to trust it. **詳細** ⑫ These words are inserted to lead people to a particular viewpoint. (193 ワード、太字は接続表現)

語句 **(質問)** multiple 形 多数の
(解答例) news outlet 名 報道機関／critical 形 重要な／well-informed 形 熟知している／neutral 形 中立の／few and far between 句 ごく少ない、めったに発生しない／bias 名 先入観、偏り／conservative 形 保守的な／when it comes to ～ 句 (話が) ～ということになると／ensure 動 ～を確実にする／news agency 名 通信社／as for ～ 句 ～に関して言えば／trustworthy 形 信頼できる／watch out for ～ 句 ～に気をつける／simplify 動 ～を単純化する／misleading 形 誤解させる／insert 動 ～を挿入する、差し込む／viewpoint 名 見解

訳 **(質問)** 複数の異なる情報源からニュースを入手することは重要ですか？ その理由は何ですか？ 情報源が信頼できるかどうかをどのように判断しますか？ あなたの意見を裏付ける理由を挙げてください。
(解答例) さまざまなニュースメディアの記事を入手することは、さまざまな問題について自分が十分な情報を得るために重要です。まず、私が思うに、本当に中立的な報道機関はほとんどありません。多くの報道機関は、特に社会問題や政治問題に関しては、リベラルか保守かにかかわらず、一定の偏りがあります。異なる見解を持つ情報源のニュース記事を比較することで、これらの問題についてバランスの取れた意見を確実に形成することができます。第二に、世界では実に多くのことが起こっており、単一の通信社ではとてもすべてをカバーしきれません。例えば、全国紙であれば、その範囲が広いにもかかわらず、地方の重要なニュースを見逃すことがあります。同じように、日本のニュース会社が制作したニュースだけを見ていると、日本人の視点からしか物事を見ることができません。あるニュースソースが

信頼できるかどうかを判断するには、そのニュースソースがどのような言葉を使っているかに注目することが重要です。例えば、センセーショナルな見出しに注意することが重要です。このような見出しは複雑な問題を単純化することが多く、誤解を招く可能性があります。また、ある情報源が否定的な意味合いの語彙を頻繁に使っている場合、その情報源を信用する可能性は低くなります。このような言葉は、人々を特定の見解に導くために挿入されます。

解説 ① まずは 1 つ目の質問「複数のニュースソースは重要?」に関し、Yes の立場を明確にしています。再帰代名詞 (myself) を使った「make ＋再帰代名詞＋過去分詞」は英語ならではの表現で、make myself understood (自分の考えを人に理解してもらう) などが知られています。

② 「理由」の 1 つ目として「本当に中立的な報道機関 (truly neutral media outlets)」の少なさを挙げています。「few and far between (ごく少ない)」は一般学習者にはなじみが薄いですが、表現の幅を広げるためにも覚えておきましょう。

③ 前のセンテンスの補強として多くの報道機関の持つ certain biases (特定の偏り) を挙げています。when it comes to ～ ([話が] ～ということになると) が使われています。

⑤ 「理由」の 2 つ目として「1 つの通信社では世の中すべてをカバーしきれない」点を挙げています。ヒントで示した「a single news source / a single perspective のマイナス面」をここから述べます。there is so much happening in the world that ～ として so that 構文が使われています。

⑦ Similarly (同様に) として「もしも日本発のニュースだけだと、日本人の視点からのみになる」としてマイナス面を続けます。Similarly, if ～ のセンテンスは、仮定法過去 (if ＋主語＋動詞過去形 , 主語＋ would ＋動詞の原形) です。趣旨は「私は今、海外の報道にも触れていますが、もし日本の報道だけに触れていたら～」と、**現在の事実と違う状況**を述べています。仮定法はこのように「対立する選択肢の言及」時に使える可能性があり、「さまざまな文法を使いこなせているか (grammatical complexity)」における効果が期待できます。

⑧ ここから How do you determine whether a source is trustworthy or not? に対する解答を始め、「使っている言葉に注目する」との見解を述べます。質問は How do you ～?と聞いていますが、ここ以降では無生物主語を多用しているのが特徴です。as for ～ (～に関して言えば) は③の when it comes to ～ と同じ意味ですが、表現の幅を広げるために変えています。この 2 つは使い勝手がよいので覚えておきましょう。

⑨ 注目すべき言葉の例として「センセーショナルな見出し (sensational headlines)」を挙げています。watch out for ～ (～に気をつける) は、今回は「何か危険な物に注意を払う」場合の用法です。

⑩ 「こういった見出しが問題を単純化する (simplify)」と、言葉の使い方の問題点に言及します。関係代名詞の非制限用法 (, which) を使い、情報を加えています。

⑪ 次の理由として「否定的な意味合いの語彙 (vocabulary with negative nuances)」を述べます。⑦で使った if を再度使いますが、⑦とは違い「否定的な意味合いの語彙を使うニュースソースは存在する**可能性がある**」ので、動詞・be 動詞が現在形になっています。

実践問題

最後に以下の問題を解いてみましょう。

📋 準備時間 ▸ 30 秒　　🕐 解答時間 ▸ 3 分（解答は最短でも 1 分を目指す）

Name a person from history you admire. Why do you admire that person? What do you think we can learn from them?

I have a deep respect for Chiune Sugihara, a Japanese diplomat who displayed extraordinary courage and saved thousands of Jewish refugees during World War II. He worked at a Japanese government office in Lithuania. In the 1940's, a large number of Jewish people escaped from Poland by fleeing to Lithuania. They, along with other Lithuanian Jewish people, visited Mr. Sugihara's workplace to request Japanese transit visas. They hoped to flee to other countries through Japan. At that time, the Japanese government required people to go through many time-consuming processes and to have a considerable amount of money in order to obtain a transit visa. Many of these escaping refugees did not have the time or money for such complex procedures. Mr. Sugihara took pity on them and issued thousands of visas, which was a clear violation of orders issued by his government, an act that put his job at risk. He handwrote visas for hours every day **until** the office was finally shut down. Japanese people were unaware of his heroic act for decades, **but** the refugees and their families remembered him. Streets are named after Mr. Sugihara, **and** he ultimately received awards for his generosity. Mr. Sugihara's story teaches us that we need to do what we know is right **even if** it involves great risk. With luck, eventually your bravery will be recognized and appreciated.

(227 ワード、太字は接続表現)

語句　diplomat 图 外交官／display 動 ～を見せる、発揮する／courage 图 勇気／refugee 图 難民／transit visa 图 通過ビザ／flee 動 逃亡する／considerable 形 かなりの／procedure 图 手続き／take pity on ～ 句 ～を哀れむ／violation 图 違反／put ～ at risk 句 ～を危険にさらす／handwrite 動 ～を手で書く／decade 图 十年／ultimately 副 最終的には／bravery 图 勇気

訳　**（質問）**あなたが尊敬する歴史上の人物を挙げてください。なぜその人を尊敬するのですか？　その人物から私たちは何を学ぶことができると思いますか？

（解答例）私は、第二次世界大戦中に並外れた勇気を発揮し、何千人ものユダヤ人難民を救った日本の外交官、杉原千畝を深く尊敬しています。彼はリトアニアの日本の政府機関に勤務していました。1940年代、多くのユダヤ人がポーランドからリトアニアに逃れました。彼らはほかのリトアニア系ユダヤ人とともに杉原氏の職場を訪れ、日本の通過ビザを求めました。彼らは日本を経由して他国へ逃れることを望んでいたのです。当時、日本の通過ビザを取得するためには、多くの時間のかかる手続きを経なければならず、多額の資金が必要でした。逃亡難民の多くは、そのような複雑な手続きをする時間もお金もありませんでした。杉原氏は彼らに同情し、何千ものビザを発給しました。それは政府の命令に明らかに違反する行為であり、彼の仕事を危険にさらす行為でもありました。職場が最終的に閉鎖されるまで、彼は毎日何時間もビザを手書きしました。日本人は何十年もの間、彼の英雄的行為を知りませんでしたが、難民とその子孫は彼を覚えていました。通りには杉原氏にちなんだ名前がつけられ、最終的に彼はその寛大な行為に対して表彰されたのです。杉原氏の物語は、たとえ大きな危険を伴っても、正しいと思うことをする必要があることを教えてくれます。運がよければ、やがてあなたの勇気は認められ、感謝されることになるでしょう。

著者紹介

西部有司 （にしべ・ゆうじ）

TOEFL®/IELTS/Duolingo English Test 講師、英語学校プリムスアカデミー講師、東洋英和女学院大学生涯学習講座講師。TOEFL iBT® 111 点、TOEFL ITP® 667 点、Duolingo English Test 135 点、TOEIC® L&R Test 990 点、英検®1 級、国連英検特 A 級などを取得。著書に『はじめての TOEFL iBT® テスト総合対策』（アスク出版）、『TOEFL® テスト 英語の基本』（共著、アスク出版）、『ゼロからはじめる TOEIC® テスト スピーキング／ライティング』（KADOKAWA）。監修書に『分野別 IELTS 英単語』『分野別 IELTS 英単語トレーニングブック』（オープンゲート）、『改訂版 TOEFL® テスト 一発で合格スコアをとる勉強法』（KADOKAWA）。

音声 DL BOOK
Duolingo English Test 総合対策

2024 年 1 月 30 日　第 1 刷発行

著者	西部有司
	©2024 Nishibe Yuji
発行者	松本浩司
発行所	NHK 出版
	〒150-0042　東京都渋谷区宇田川町 10-3
電話	0570-009-321 (問い合わせ)
	0570-000-321 (注文)
	https://www.nhk-book.co.jp
印刷・製本	図書印刷